月に聞かせたい話

シン・ギョンスク
村山俊夫 訳

WELCOME TO THE WORLD OF K-BOOKS
K-BOOK PASS
02
ARRIVED

The Stories That I Like to Tell You About

The Korean edition originally published in Korea by Munhakdongne Publishing Corp.
This Japanese edition is published by arrangement with KL Management
through in association with K-BOOK Shinkokai.

This book is published with the support of
the Literature Translation Institute of Korea (LTI Korea).

月に聞かせたい話　目次

一部　三日月に

二部　半月に

三部　十五夜の月に

四部　つごもりの月に

［凡例］
訳注は本文中に〔　〕で入れた。

一部

三日月に

ほら、愛してるんだろ?

その村はずっと南の方にあった。

そこにはとうの昔に、争い事なんて忘れてしまった人々だけが暮らしていた。春が来れば種を蒔《ま》いて、夏の長雨が踏み荒らしていった畑に残ったものだけを収穫しては、何とか冬を越しながら、穏やかに過ごしていた。一時は二〇〇余りの家があって、赤ん坊が生まれると年寄りがこの世を去っていく繰り返しが、季節がめぐるように、ほどよい循環を続けていた所だった。だが今は老人だけが残っていた。村を離れられる人は皆、去っていった。人が足を踏み入れなくなった道が増え、やがてその道には草が生い茂り、鳥が棲みつくようになった。年寄りたちはジャガイモを蒸して分け合ったり、一軒の家に集まってご飯を炊いて食べながら、山が青々とすれば春の訪れを知り、夏の雨音を聞いた後、秋には植えたものを取り入れて冬を迎えた。雪が積もれば外出を控え、時折、戸を開けて外を眺めた。冬が早く過ぎるようにと願ったりすることもなかった。どんなふうに時が経っても、村の人たちには同じことだった。そんな暮らしを遠くの山が静かに見守っていた。

ある時、この穏やかな村に騒ぎが持ち上がったことがあった。ここ十年なかったことだった。この話はその時のことだ。

一里ほど離れた町に新しく教会ができて、若い牧師が三日に一度ずつ教会のマイクロバスでこの村にやってくるようになった。その牧師は縁側に腰かけているおばあさんや、老人会館に集まるおじいさんたちを訪問しては、熱心に神様のことを説いて回った。村の年寄りたちは、神様のことはさておき、久しぶりに外からやってきた人が牧師であれ何であれ、年寄りではなくて若者だということに引きつけられて、彼の話に耳を傾けるふりをした。話の内容より若者がもたらした活気が、村を生き返らせてくれたように感じたのだった。その牧師が村に来た頃は、彼が一番若い人間だった。その次に若かったのは、村の裏山にある寺の住職だった。

村の年寄りたちに伝道しようと一回りした後、時々牧師はマイクロバスに乗って寺まで上がって行った。そうして住職にも教会に来るようにと、神様を信じて救いを求めるようにと語った。住職は黙って若い牧師を見つめるだけだった。それからすぐに顔をそむけて、遠くの山を眺めるのが常だった。寺といっても信者は二人しかいなかった。だがそんなことはお構いなしに、牧師は一人熱心に疲れたそぶりも見せずに、住職に向かって神様のことを語り続けた。

ある夏の日だった。

町に出かける用事ができた住職が、村に下りてきてバス停でバスを待っていた。麦わら帽子をかぶり道端にしゃがんで、道の彼方を眺めやっていた。暑い陽ざしに額から汗がだらだらと流れた。袈裟の中にも汗の粒が流れ落ちるようだった。カンカン照りの中で両手で杖を握りしめながら、なかなかやってこないバスの来る方を見やっていた。その時、住職の乗るバスが来るのとは反対の方から、教会のマイクロバスが砂ぼこりを上げながら、舗装されていない道を走ってきた。バスは住職がしゃがんでいる所を通り過ぎたかと思うと、その前方で白いほこりをたてて止まった。それからいったん過ぎた道をゆっくり後戻りすると、住職のほうに近づいてきた。

マイクロバスの中では村のおばあさんたちが窓辺の席にずらりと並んで座っていたが、しゃがんでいた住職を見るとうれしそうに手を振った。住職もそれに応えて手を振るように見えたが、ドアが開いてバスを降りた牧師は、まだほこりが舞い上がっている道を歩いて住職の前に進んでいった。

「いやあ、ご住職」

牧師は笑みを浮かべて住職の前に行くと、挨拶をした。

「ご住職、私どもの教会に来てくださいよ」

暑さのせいだったのだろう。若い牧師が寺を訪ねてあれこれ話しかけても、聞く耳持たずというように、本堂の前庭を掃いたり、水を汲んできたり、さもなければ遠くの山を眺めやっていた住職が、額に皺《しわ》を寄せ険しい顔つきになった。それが牧師に対して見せた初めての反応だった。

「ご住職、ご存じのように私たち人類はこのままでは間もなく終末を迎えることになります。神に仕えることだけが、救われる道なのです」

「奸世音菩薩」

住職は気づかないうちに「観《クァン》」ではなく「奸《カン》」と発音していた。

「奸世音菩薩」

住職はしゃがんだまま背を向けた。牧師はしゃがんだ住職の前に回って、同じようにしゃがみこむと、その顔をのぞきこむようにして言葉を続けた。

「ご住職、一緒に行きましょう。この酷薄な世の中は私たちが心を合わせ、霊魂をひとつにしなければ、不幸となってやってきます。私たちがひとつになって初めてあらゆる苦難に打ち克つことができるのです。私たちのもとにはいつも神様がいらっしゃいます」

住職は牧師の顔を見るのが嫌で、再び顔をそむけて座り直した。住職の心を知ってか知らずか牧師もまた、住職と同じ角度に体を回しながら顔を近づけた。マイクロバスの中では、おばあさんたちがまるで少女のように、車窓に手の平や額をあてて牧師と住職の姿を見守っていた。牧師が住職の顎のあたりにまで顔をぐっと近づけながら、再び「ご住職！」と呼びかけた。

「私がどうしてこんなふうにすると思いますか。それはご住職を愛しているからなんです！」

その時だった。それまでしゃがみこんで「奸世音菩薩」と言いながら牧師を避けていた住職が、杖を放り出した。そうして牧師の胸ぐらをつかむと、すっくと立ちあがった。牧師が避ける間もなく住職の手が右の頬を強くはたいた。牧師の頬に、住職の手の平がぴたっと張りついてから離れた。胸ぐらをつかまれたまま、牧師は目を丸くした。

「何だと、愛してるだと？」

「いや、住職、この手を放して」

「放せだと。誰が放すもんか。さあ、左の頬も出せよ。ほら、愛してるんだろ」

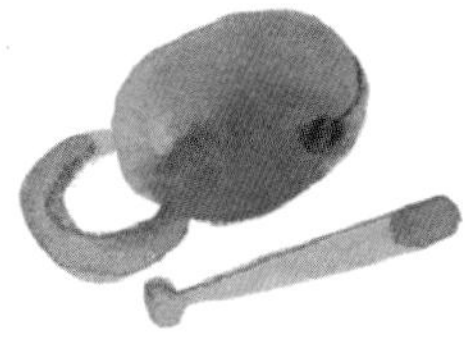

「ああ、じゅ、住職」

「お前はゲイか。何でわしを愛するんだ」

何年もの間、誰も大声などあげたことのなかった静かな村が、大騒ぎとなった。マイクロバスの中で不安げに二人を見守っていたおばあさんたちが、「住職」、「牧師様」と呼びながら泣き出してしまったのだった。

遠くの山がその様子をじっと見下ろしていた。

冬越し

時々動物の話を聞くことがある。

ゾウは死期を悟ると一人で遠い所に旅立って、そうして誰にも知られない所を探して一人きりで死を迎えるとか。カモが生まれてから七、八時間の間に見たものを死ぬ日まで追い続けるのは、この世で初めて見たものを永遠に愛し続ける、「刷り込み」というものなのかもしれない。リスは健忘症がひどくて、どんぐりを一生懸命口にくわえて一か所にうず高く積んでおいても、すぐにどこに置いたのか忘れてしまうそうだ。時々山に入った時、どこかの木の根元に、まるで集めてきたみたいなどんぐりの山を見かけたら、それはリスの忘れものだと思って間違いない。健忘症が一番ひどいのは魚だともいう。釣り針が目の前に落ちてきたら、これは危険なものだと思って一度はそっぽを向くけれど、頭をもとに戻すともう忘れてしまってぱくりと口にくわえてしまうんだって。これはちょっと信じがたい話だけど、ニワトリはいったん寝てしまうと、ネズミなんかが自分の内臓を全部かじって食べてしまっても気づかずに寝ていると聞いたことがある。

本当かって？　それは何とも言えない。どこかで聞いた話で、この目で見たわけじゃないから。

クマの話もある。クマは冬が来る前に腹が裂けるほどたらふく食べてから、高い木に登ってわざと飛び降りてみるそうだ。そこから転がってみて痛いと思ったらさらに食べる。そうやって、転がっても痛くなくなるまで食べだめを続けるというわけ。冬を越せるように。

一月に降った雪がまだとけていない庭先で、母ネコが三匹の子ネコを連れてのそのそと歩いているのを見かけた。ふとその時誰かに聞いた例のクマの話を思い出したのは、ネコがお腹をすかせているように見えたからか。風に吹き飛ばされたゴミ袋をつかまえて舐めたり、子ネコたちは喉が渇いたように白い雪に口をあてて吸う仕草を見せたりしてたし。あのネコたちもクマを見習えばいいのにと思った。すべてのものが凍りつく、こんな寒い冬に備えて、食べられる間にたっぷり食べたものを体に蓄えて、冬になったらクマのように、ひたすら穴に入って冬眠でもしていればいいのにって。母ネコの後をひたすらくっついていく、ひもじい子ネコたちを思い出して、私が町の動物病院の前を通った時に、ネコの餌を一袋買ってきたのはいつのことだったか。

食器棚をあちこち探して、使っていない皿を三枚取り出した。二枚の皿に餌を分けて盛りつけ、もう一枚には水を入れてネコの通り道に置いておいた。でも一日経っても皿はそのまま。ネコは売っている餌は食べないのかと思いながら、水だけ新しいのに替えてやった。野良ネコたちが冬一番困るのは、食べ物よりもきれいな水だという話を、何かの本で読んだことがあったから、餌の皿が手つかずでも、水だけは熱心に取り替えてやった。そんなある日、見ると餌が半分くらいなくなっていて、ああ、ようやく餌がわかったんだと思ったら、その次の日は皿が空になっていた。よく食べる

なと感心しながら、少し余計に入れてやった。翌日はもう少し多めに。翌々日はさらに増やして。

そんなふうに私はその冬、ネコの餌をやりながら過ごした。一日に一回、餌がなくなってると思ったら皿を満たしてやるだけだったけど。何ていうのか、空っぽになった皿に餌を入れる自分のことが気に入っていた。他者のために尽くしている自分の姿が、思いがけず私に慰めを与えてくれたとも言える。たかが皿に餌を運んでいただけなのに。

ところが何日か前、庭でネコじゃなくカササギを見かけた。あら、カササギも来るのね。最初はちょっとうれしかった。でもネコの餌をつついて食べていたから、それはあんたの食べるものじゃなくて、ネコのなの。優しく叱るように言ってから、米をひとつまみ、ネコの皿の近くにまいてやった。その日からネコの餌のほかに、米をまいてやるのも日課になった。カササギが庭に現れてから、ネコは姿を見せなくなってしまったけれど、それでも皿の餌はなくなったから、その後も餌の補給は怠らなかった。きっと自分の見てない時にやってきて、食べているんだと思って。そんなある日、外出から帰ってきて玄関の戸を開ける前に、ふと庭を見やったら、信じられないことが起きていた。カササギたちが真黒な群れになって、ネコのために入れた餌を夢中になってつついていたのだった。それも一羽や二羽じゃなくて、真黒な頭をぶつけ合いながら、我先にと餌を奪い合うのを見たら、正直いってちょっと怖くなった。鳥がネコの餌を食べるのもおかしなことだったし。私が庭に入っていくと、一〇羽以上もいたカササギがいっせいにバタバタと羽を広げて飛び立っていった。その時初めて、ああ、今までネコの餌をカササギたちが全部横取りしていたんだって気づいた。

ネコがどうして自分の食べるものを守ることができなかったのかって？　自分の目でそれを見ていなかったら、私もそう言ったかもしれない。でもカササギが群れをなしてネコたちをつつき回したら、餌の入った皿を差し出すしかなかったと思う。考えてみれば不思議なことだ。カササギは米を、ネコは餌を食べていればすむことなのに。

じっと観察してみたら、カササギがネコの餌を横取りしてしまったのは確かだった。実際どうやったのかはわからないが、カササギが現れてからネコたちの姿が、庭の辺

りからはふっつりと消えてしまっていた。あの子ネコたちはいったいどこで水を飲んでいるのか、気にはなってもカササギも生きていかなくちゃならないから……と思い直して、ネコの餌を皿に入れる日課はやめなかった。

ところが、きょうの夕暮れ時になって私は驚いて腰を抜かすところだった。

部屋にいると何だか、けたたましい音が聞こえてきた。何かと思って音のする方に出てみると、わぁ、何てことと声をあげそうになった。ネコの餌を置いた所でカササギたちが大変な騒ぎになっていた。カササギの言葉はわからないから、何と言ってるのかは理解できなくても、雰囲気からして二つの群れがケンカしてるのは間違いなかった。猛々しくお互いに飛びかかったり、逃げ出すのを追いかけて突っついたり……カササギがそんなふうになるなんて。初め、ネコにあげようと思って皿に入れた餌を、ただカササギが横取りしたのだと思っていたけれど、今度は他の縄張りにいた別のカササギまで加わって争奪戦になってしまったのかもしれない。

しばらく眺めていたが、だんだん怖くなって玄関の戸を閉めて部屋にもどった。そうしたら通りがかりの人も何ごとかと歩みを止めて、首を伸ばしてカササギのケンカを目を丸くしながら見ているうちに、恐れをなしたのか足早に去ってしまった。

一方の群れが他所に飛んでいくまで、その熾烈《しれつ》な争いは続いていた。窓越しにその様子を見守っていたら、胸が苦しくなるほどドキドキしてきた。

お月さま、カササギたちの間に何が起きたのか、ひょっとしたら知ってるの？

次の日、私は三枚の皿をそっと家の中に戻した。彼らには彼らの世界があるのだから。冬を越す方法だって自分たちなりのやり方があったはず。その世界に私が首をつっこんだために起きた争いをやめさせるには、三枚の皿を片づけてしまうしかなかった。

それにしてもお月さま、どうしてこんなに気がめいってしまうのかしら。

神様の靴

ソンへ。

何日か前、あなたが家に来て帰った後、時々あなたのことを考えてる。去年、大学入試に落ちてもう一度受験勉強を始めたあなたを呼んだのは、Hに会わせたかったからだった。美大に行こうとするあなたにとっては、画廊のキュレーターであるHのほうが私よりずっと、プラスになる話をしてくれると思ったから。忙しいHの都合で、ランチを利用したわずかな時間だったけど、二人が会話をしている間、あなたの頬が上気しているのに気づいた。浪人とはいっても、十八歳のあなたは本当にきれいだった。「わたしが?」って聞き返すかもしれないけど、きれいなだけじゃなくて、うらやましくてならなかった。まだ十八歳だってことが……。

昨日《きのう》から雨が降っている。

まさに春の雨。この雨はとても大切な雨なの。おばあちゃんの村ではこの雨を肥料だと思って、今から田畑に種を蒔く。冬の間すっかり干からびていた草木は、この雨をぐんぐん吸い上げて、すぐに新芽を吹き出すはず。春ってほんとに不思議なもの。冬にはやせてねじ曲がり、枯れてしまったように見えたブドウのつるに、水が上がっていくのを見てごらん。まだ枯れてはいなかったのねという感嘆詞が自然に口をついて出てくる。私もこの雨がやんだら、去年ベゴニアを植えてあった、甕《かめ》みたいに大きな鉢《はち》の土を掘り返して、今年はホウレンソウの種を蒔いてみようかと思ってる。食べられるようになるかどうかは別にして、ちっちゃな芽が「わぁ」と叫びながら地上に姿を現すのを見てみたい。

突然、あなたにメールを書いたのは、昨日の午後から今日の明け方まで読んでいた『神様の靴』という本の話をしてあげたかったからなの。今まで気にもしていなかった本。読むつもりで山積みになっていた本もたくさんあるのに、急にこの本を読むことになったのは、あなたの伯父さんの机の上に置いてあったのをたまたま見かけて、何気なく手にとってみたのがきっかけだった。表紙に私の好きなゴッホの〈古靴〉とか〈ゆりかごを揺らす女〉、アルルにいた時の〈アルルの寝室〉や〈星月夜〉がいっぱいに描かれていたから。

その本を手にしてから部屋に入って読み始めた。別に期待はしてなかった。これまでもゴッホの本はずいぶん読んできたから。それでも夜、約束があって外出している間も、読みかけた本のことがずっと頭を離れなかった。早く家に帰りたくてしかたがなかった。帰ってすぐに読み直して、そのうちに寝てしまったけど、明け方目を覚ましてから最後の章まで読み切った。それから最初にあなたにこの本のことを話したくなったの。この間会った時、明るく見えても時々瞬間的に暗い表情を浮かべる、あなたの顔が思い浮かんだからだと思う。絵を専攻したいというけど、何だか危なっかしく見えて、私としてはデザインや応用美術に方向転換したらどうかと思っていた。Hに会わせたのもそういう気持ちからだったの。私が何か言っても、小言くらいにしか聞こえないだろうし、現場で実際に仕事をしているHから聞いたら実感がわくんじゃないかと思って。だから前もってHには、あなたがどうしても絵をやらなくちゃならないと考えてなかったら、卒業してから就職しやすいデザインの方面に進路を変えるような話をしてみてって頼んであった。でもあなたは、絵を描くこと自体が好きだってはっきり言った。ずっと小さい頃から絵を描いて暮らすんだって決めていたと言ったのよね。そうすれば幸せだって。あの日あなたがきれいに見えたのは、そして私がうらやましいと思った理由はその一言のせいだった。あなたの口から何かをして暮らせれば幸せだっていう言葉を聞いた時、今まで私の知るソンの姿を見直さなくてはならないと思った。いつまでも子供だと考えていたことを謝らなくちゃね。たとえ一度は失敗して浪人したとしても、あなたくらいの年齢でしっかりした夢を持つのは誰でもできることじゃない。だからうらやましいと思ったの。まだひらけてはいないあな

たの未来のことが。

ソン。

『神様の靴』はゴッホの人生や作品が、苦痛の中から出発し苦痛が生み出したものだという、これまでの評価を踏まえたうえで、さらに彼が神の言葉を絵によって伝えたという見方で書かれたものなの。ゴッホは「神を知る最善の方法は、多くのものを愛することだ」と言った。そうだとしたら神の言葉を絵によって伝えたという意見に私も同感できる。ゴッホを愛した著者は、何年もの間ゴッホが残した記録や絵を訪ね歩いた。その労苦が生み出した言葉は、読む者に共感の喜びを与えてくれる。苦痛とともに生き続け、ついには自ら耳を切り落として正気をなくした人のように生涯を終えた悲運の画家というのが、彼に対する印象だと思う。けれどこの本を読めば、ゴッホがどれほど人生を愛していたか、どれほど温かい人間だったか、そして自身の哲学がどれほど明瞭な人間だったかを知ることができる。自分が関係を結んだすべての人々に、どれほど全身全霊をかけて心を砕いていたかもわかると思う。彼の苦痛がむしろ読む者の癒《いや》しになるという、転換の瞬間が何度も訪れた。いつか読んだことがあるのに、ゴッホが残した数多くの手紙から引用した文章を読みながら、時々目頭が熱くなることもあった。ゴッホはいつの時代に生きていた人なのかと思うほど、彼のどんな言葉も決して古臭くはなかった。彼はそれこそ「傷ついた治癒者」として心に迫ってきた。たぶん、そのせいで読み始めたのだし、ひと時も手から放すことができなかったんだと思う。だから一人孤独に受験勉強を再開したあなたに、この本を読んでほしいと思ったのかもしれない。

ソン。

ゴッホの友人が人生の信条は何かって聞いた時、彼の答えはこうだった。

「何も言いたくないが、あえて言わなくてはならないなら、こう言おう。愛し、愛されること。生きるということ、つまり生命を与え、新しいものにし、回復し保存すること。火花のように働くこと。そして何より善をなして、何かの役に立つこと。例えば火をおこしたり、子どもにひと切れのパンとバターをあげたり、苦痛にさいなまれる人に一杯の水を差し出すこと、かな」

ソン。

人生の中で一年は短いものだと思う。ひと抱えもある大木のことを考えてみたら、一年はその大木の枝一本に過ぎないのだから。勉強に疲れたら、ノートにあなたがしてみたいことを書いてみるといい。スケッチブックに、日記みたいに目の前にあるものをスケッチしてみても、この本を、時々何ページかめくってみるのもいいね。でもそれは不可能かもしれない。きっと私と同じように、少しずつ読んでなんかいられなくて、いっぺんに最後まで読んでしまうと思うから。絵を描いて暮らせたら幸せっていったね。つらくなったら、ゴッホの生き方から紡ぎ出された言葉に耳を傾けてみたらいい。あなたが将来、どんな絵を描くようになるかはわからないけど、あなたが苦痛を受け入れて最善を尽くしたことは、自然にあなた自身の幸福を飛び越えて、他の人たちにも善となり、役に立つものになると思うの。そう信じて前に進んでいければいい。未来のいつか、あなたの描いた絵があなた自身の幸福のもっと先で、誰かにとっても善《よ》きものとなり、助けになるものになりますよう。
それでは、元気でね。

おまえ、トウモロコシか！

「美味しいパン屋」という連載を始めたC先輩の、小学校の同級生の話を昨日聞いたんだ。小学校を卒業して三十五年経ったとか。その頃は小学校を国民学校って言ってたかな。先輩はずっと南の方の田舎の小学校を出てから、その土地を離れた。だから自然に学校の友だちとは連絡が途絶えてしまったんだと思う。それから三十五年の歳月が流れて……。本を読んでいて、ふと文章の中に「歳月」という文字を見つけると、じっと見つめてしまう。誰かの名前を呼ぶ時みたいに。

そんなふうに思ってるせいか、〈ミンチョル〉という名前がいかにもミンチョルらしく見えるし、〈ポッキ〉はほんとにポッキみたいだし、〈フニ〉はフニらしくて〈ウニ〉はまたウニそのものみたいに見える。人の名前だけじゃなくて、どんな単語でもそういうことがある。〈月〉は月らしく、〈水〉は水らしく、〈木〉はいかにも木らしい。〈歳月〉も同じこと。別に意味を説明しなくても、いかにも歳月らしく見えるだろ。笑い話のつもりだったんだけど、笑わないな。

先輩が小学校を卒業して三十五年の月日が経ったある日、サイン会場で小学校の同級生に会ったんだ。あ、先輩は漫画家なんだよ。俺？　俺も漫画を描いてる。先輩みたいにサイン会をするほど有名じゃないけど。先輩より十五歳下だし。だから、もし先輩の年齢になったら、誰かが今の自分が先輩について考えるのと同じような気持ちになる可能性は十分だという話だよ。誰がそんなことを聞いたかって？　うん、誰も聞いてないな。でも聞こうと聞くまいと、これだけは言いたい。

俺が今、自分より年が十五歳も上のＣ先輩を先生と呼ばず先輩と呼ぶように、いつかは自分も月日が流れて、還暦を過ぎたとしてもだよ、先生と呼ばれるよりは、先輩と呼ばれたいね。Ｃ先輩に初めて会った時、俺が「先生」って呼んだら先輩はまるで怒ってるみたいだった。自分は同僚から「先生」と呼ばれたら、おしまいだと思っているそうだ。創作者の世界で先生はないって。同僚から「先生」と呼ばれるのは、死体扱いされることと同じだって。

会ったばかりの、ずっと後輩の俺に分け隔てなく同僚として接してくれる親密さや、「先生」と呼ばれたくないという話には正直、驚いた。これなのかと思ったよ。先輩からはどんな若い漫画家たちよりも、緊張感や新しさを感じ取ることができたから。話がすぐ横道にそれてしまうな。

卒業して三十五年の月日が経ってから、サイン会場で小学校の同級生に出会ったとしたら、いったいどうなんだろう。俺なんか小学校を卒業して二十年も経ってないから三十五年後なんて想像もつかない。今だって同級生の顔を見分けられないんだから。その日、先輩がサインをし終わって本を返そうとすると、相手が「俺のこと、わからんか」と言ったんだそうだ。ただの読者だと思っていたのに、そう聞く相手と目が合った瞬間、先輩の口からは思わず「おまえ、トウモロコシか！」という言葉が飛び出したって。それと同時に今まですっかり忘れてしまっていた、昔の田舎町の教室の風景に、瞬間的に戻っていたそうだ。先輩の話はこうだった。

今はもう亡くなられたC先輩のお母さんは、息子の弁当を愛情をこめて作ってくれたそうだ。ともかく料理が得意だったとか。今では想像もできないけど、子どもの頃先輩はとても体が弱くて、お母さんはそれでいっそう弁当のおかずにも気を配っていたんじゃないかな。その田舎町では、〈カンネンイ〉とか呼ばれていたトウモロコシのパンを、学校に弁当を持ってこられない貧しい子どもたちのために、給食として配っていた時代のことだった。サイン会場に来ていた同級生は、その時給食のパンを配る当番だったそうだ。昼時になると、取っ手がついたバケツを手に職員室に行っては、トウモロコシパンをもらってきた。

パンを給食としてもらう生徒たちの名簿を見ながらひとつひとつ配り終えると、いつもひとつかふたつは余った。サイン会場に来たその同級生は、パンがふたつ余った時は、その場でまずひとつを平らげてから残ったパンを手にして机に上がると、「これ、弁当と取り替えっこする人！」と声を張り上げたんだって。弁当を持ってきた生徒は、トウモロコシパンをもらえないから、争うように列を作ってパンをもらおうとした。

先輩もその一人だったんだ。トウモロコシパンを食べる子どもたちが、いつもうらやましくてならなかったそうだ。

それくらい美味かったっていうけど、まさか給食に出るパンが、弁当と取り替えるほど美味いってことがあるかな。当時はパン自体が珍しかったから、特別な食べ物だと思われていたんだろう。いずれにしても、トウモロコシパンは一個だけで、取り替えたいと思ってる弁当を持ってきた生徒は行列を作っていたわけだから、同級生は悠々と皆の弁当を点検しながら、気に入ったのをひとつ選んで食べることができたってことだ。その時選ばれた弁当はたいていC先輩のだった。何しろその弁当に入っていたおかずは、田舎町にしては珍しいくらい豪華なものだったみたいだから。お母さんが先輩の体を考えて真心こめて作った弁当は、こうしてほとんどその同級生の腹に収まり、先輩は先輩で、美味しいトウモロコシパンを食べることができたそうだ。

そんな記憶が、瞬間的に同級生の名前を「トウモロコシか！」と言わせたんだろう。結局、本当の名前はとうとう思い出せなかったって。同級生のほうも「そうだよ、トウモロコシだよ！」って答えたものだから、サイン会場はどっと沸いた。同級生はその町で〈美味しいパン屋〉の主人になっていたそうだ。そういう名前のパン屋なんだ。先輩の同級生がやっているその店で、一番自信を持って美味しく作れるのが、トウモロコシパンだとか。

去年の十二月に、C先輩は初めて小学校の同窓会に出席したんだけど、その日、例の「トウモロコシか！」はトウモロコシパンをたっぷり作っていって、その場にいた同級生たちが、好きなだけ持って帰れるようにしたそうだ。先輩は「美味しいパン屋」という連載を始めた。パン屋に集まる人たちの話を描くために、今はその同級生と一週間に一度は会ってるみたいだ。人はいつどこで、誰と再会するかわからないってことだね。瞬間、瞬間をちゃんと生きていかなくちゃってことだと思う。先輩の話を聞いて、ぞっとしたよ。これまで生きてきて、歳月の中に埋もれてしまっていた誰かと、ある日名前も思い出せないまま出会うことがあるとしたら、いったい自分は何て呼ばれるんだろう。それにお前も。

Jが発ってから

妹のJがアメリカに行ってからヒギョンは毎朝、田舎にいる母から電話をもらうようになった。母はただ、「元気かい」と言うだけだった。ヒギョンがまだ夢うつつで「元気よ」と答えると、母と娘はそれ以上話すことがなかった。母が「じゃ、まだ寝てればいいよ」と受話器を置こうとするので、ヒギョンは「母さん」と呼んでから、「何か言いたいことがあるんでしょ」と尋ねた。母は「何もないよ」と言って電話を切った。そんなことが十日以上も続いた。

いったい母がどうしてそんなことをするのか、わからなかった。妹のJならその訳を知っているような気がした。Jがソウルにいた頃も、母のことで気になったら、よく電話して聞いたものだった。母の誕生日に何を贈ればいいか、母の変形性関節炎はどんな治療をしているのか、今、一番必要なものは何か。

ヒギョンの方が姉なのに、母親のことに関しては妹が姉の役割をしていたことになる。母とJはよく話が合った。話が合ったというより、二人はいつも心を通わせていたと言ったほうがいい。そうやっていつも話している相手のほうが、自然と話もはずむというものだ。ヒギョンはJに電話をかけて、「特別に話すこともないのに、母さん、毎朝電話をかけてくるんだけど何か心当たりある?」と聞くと、いつも朗らかなJは「母さんが?」と言って考えこむ様子だった。

「どうしちゃったんだろ」

「私がソウルにいた頃は、毎朝、母さんに電話してたの」

「あんたが?」

「うん」

「毎朝電話して、何の話をしてたのよ」

「母さんが好きな連続ドラマ。その前の晩に放送してたのを見ていろいろね」

「連続ドラマって？」

「うん、母さんが好きな中年の俳優の話もしたり、朝ごはん食べた？　とか、今日は何するのとか、昨日はよく眠れた？　具合の悪いところはない？　とか、そんな話よ」

「母さんが、どんな中年俳優が好きだって」

「チュヒョンっていうでしょ。母さんに言わせるとカッコ良くお腹が出てるんだって」


ヒギョンは電話を切って、すきっ腹にもう一杯コーヒーを飲んだ。それからぼうっと机の上を見つめた。明け方の四時になるまで翻訳にかかりっきりだったが、それでも締切に間に合いそうもないくらい、原稿はたっぷり残っていた。科学的知識が必要な専門用語が多くて、遅々として進まなかったからだった。また始めてみるつもりで机に向かおうとしても、どうにも落ち着かなくて田舎に電話をかけてみた。母は電話に出なかった。母とJが毎朝電話で話していたことを、ヒギョンは今まで知らなかった。

そうだったのか……。

朝になると二人が、前の日に放送した連続ドラマについて受話器越しに話をしていたことを知った瞬間、ようやくヒギョンは母にとってJの存在がどれほど大きかったのか悟った。ヒギョンは田舎の家にもう一度電話をかけた。相変わらず誰も出なかった。母が一人で暮らす家に電話をかけながら、いつも母からかかってくる電話を受けるだけだったという事実を思い知った。

田舎の家でたった一人で寝床に入り、また一人きりの朝を迎える母に対して、今までどうしてそんなにも無関心だったのだろう。Jがいてくれたからだった。Jが母に良くしてくれたからだった。あれほどアメリカに行くのをためらっていた理由は、ただ休職しなければならないからというだけではなくて、母のためだったのかもしれないと、この日の朝、ようやく思い至った。移住しようというのではなく、二年半ほど滞在するだけなのに。他の人は自分のお金を出してでも行こうとするのに。何を迷うことがあるのかとJをせきたてながら、彼女の不在を耐えなくてはならなかった母親の喪失感のことを、想像さえできなかったなんて……。

ヒギョンは自分の無関心さに嫌気がさし始めた。一日中、空腹でコーヒーだけ飲むという罰を自分に与えて、机に向かって日がな翻訳にかかりきりになり、夜になるとしくしくするお腹をかかえたまま、母が好きだという連続ドラマを見ようとテレビをつけた。ドラマはもう一三八話になっていたが、ヒギョンはこの日初めて見たのだった。それでもすぐに理解できた。母が好きだという中年俳優が登場するのを待って、彼のお腹をつくづくと眺めた。

ヒギョンにはどんなにひいき目に見ても、そのお腹が素敵だとはとうてい思えなかった。どんな人でもぽっこり出っ張ったお腹が格好良いというのは無理がある。ドラマは最後までひっきりなしに食べるシーンが続いた。一日中コーヒーしか口にしていなかったヒギョンのお腹からは、ぐうぐうという音が鳴りやまなかった。

翌朝、母は同じように電話をかけてきた。何の愛想もない口調で「元気かい」と尋ね、ヒギョンが「うん」と答えると、また電話を切ってしまおうとする母に向かって、今度は機関銃のように勢いよくヒギョンがしゃべり始めた。

「母さん、連続ドラマって何であんなの。毎日みんなで食卓を囲んで、朝ごはん食べたり、別れるんだとか何だとか、もめたりしてそれでおしまい。それにチュヒョンのお腹のどこが、格好いいのよ？　あれだけ出てたら少し運動でもしなきゃ。お腹に何か隠してるみたいに、あんなにぷっくり出てたらだめでしょ、母さん！」

電話を切りかけた母が突然声のトーンを上げて切り返した。

「あんた、何も知らないで何言ってるの。人が生きていくのに、一緒にご飯を食べたり、寝たりすることくらい大事なことが他にあるっていうのかい。そんなことも知らないから、いつまでも嫁に行けないでいるんだよ。それにチュヒョンさんのお腹はね、あれは人格ってものよ。あんたの父さんもほど良い加減でお腹が出てただろ。どれだけ見栄えが良かったことか」

ヒギョンは思わずくすっと笑った。母がタレントのチュヒョンに、夫婦仲の良かった父の姿を重ね合わせていたことに気づいたからだった。それでもあの巨大なお腹を「ほど良い加減に出ていた」と表現するのは、たとえいつも母の肩を持つJだったとしても苦笑するしかない、ひいきの引き倒しだ。生前の父は、玄関の扉を開けると、

いつもお腹から先に出ていったじゃないの。ヒギョンは母の身びいきを直してやろうというように、ベッドからさっと身を起して「母さん！」と大きな声で呼びかけた。受話器の向こうの母親も、Jと話していた時みたいに、電話の前にぴったりくっつくように座り直しているに違いなかった。

ある、新年の挨拶

僕は酒を飲むと昔の家を訪ねるという癖がある。もちろん未来の家は訪ねることができない。そもそも、それはどこにあるのかわからないし。もっとも昔の家といっても、僕の家というわけじゃない。兄貴の家か、親の家。考えてみたら僕には家がなかった。だけど、この国の三十代半ばの男が家持ちじゃないって当たり前のことじゃないのか。あんな高い家をどうやったら手に入れることができるのか見当もつかない。かといって持ち家に住んでる三十代半ばの男たちを悪く言うわけじゃない。その家を自分のものにするために、どれほど一生懸命生きてきたかを考えたら。親から譲られたのでもなければ、尊敬しなくちゃと思う。

種は蒔かなければ収穫できない。種も蒔かないで収穫だけしようと思うなんてあんまりだろう。自分の家を持ちたいという夢も持っていないんだから、僕に家がないのは当然のこと。今住んでいるオフィステル〔居住空間を備えた事務室で、事務空間が全体の半分以上のもの〕だって、自分にとっては過ぎたものかもしれない。まして兄貴と別れて三清洞《サムチョンドン》という町で間借りしていた時と比べたら、今の住まいは天国みたいなものだ。

兄貴と一緒に暮らし始めてわかったのは、酒を飲みすぎると必ず昔の家の前に行って、そこに大の字になってひっくり返ってたってこと。二人でしょっちゅう引っ越しばかりしてたけど、その頃兄貴の家は東崇洞《トンスンドン》にあったっけ。兄貴は僕と違ってほんとに一生懸命生きるっていうスタイルだ。写真にはまって、何十台ものカメラを並べて暮らすのに満足してる、僕みたいな者とは違う。

兄貴は早くから経済観念がしっかりしていた。子どもの頃、同じ小遣いをもらっても僕は一週間もしないですっからかん。兄貴は次の月にまたもらう時まで残していた。軍隊でもあのスズメの涙の給料を積立していたっていうのが、僕の兄貴なんだから。

初めのうちは、小遣いがなくなるのと、残っているっていう程度の違いだったけど、いつの間にかそれが積もり積もって、僕は一五坪のオフィステルに、それも賃貸で暮らしていて、兄貴の方は家持ちという格差にまで広がってしまったわけだ。

いや、こんな話をするつもりじゃなかった。僕の酒癖のこと、そのために受けることになったある新年の挨拶について話そうと思っていたんだった。

酒に酔うと昔の家に足を向ける癖があると言ったのは、兄貴の家に向かうということ。それは僕にとって昔の家でもあるから。前に言ったように、僕は兄貴と一緒にこの町で暮らし始め、引っ越しすれば一緒にくっついていったし、兄貴が結婚してからも何年かは新婚の家にそのまま転がりこんでた。考えてみたら、自分は財布のひもが緩いだけじゃなくて、気が利かない人間だとも思う。兄嫁が気を使っているだろうなんて、少しも考えなかったんだから。もっとも義姉さんは世間一般の義姉とは違ったところがあった。心から兄貴を愛していたし、今もそれは変わらない。だいたい愛っていうものは、好きだと思う気持ちが強い方が負けるものだ。愛を語るのに勝ち負けというのも変だけど、それは間違いない。愛情がまさっている方が、いつも相手に対して尽くすようになっている。僕の目には義姉の思いの方がずっと強く見える。そうでなければ、兄貴にだけじゃなく家族にまであんなに良くしてくれるはずがない。義姉が天使に見えるくらいに。美しい義姉から「トリョンニム〔夫の未婚の弟〕」って呼ばれた時のトキメキを思い出す。

兄貴から独立した後も、酔うと兄貴の所に押しかけた。それも、いつも夜中の零時を回ってから。一緒に暮らしてた頃、冬になるとその家の地下に石炭が積んであった。何しろ居間が寒かったから、部屋の真ん中に石炭ストーブを置いて過ごしたんだ。そう、石炭ストーブ。冬になるとその周りには幸福な時間が流れてたなぁ。焼き芋を焼いたり、やかんでお茶をわかしたり。義姉も兄貴みたいにしっかりした人だったから、ストーブで洗濯物を煮沸したりしてたっけ。ぐつぐつ煮立つと部屋中にその匂いが広がって、いい気分になれた。そんな冬の日に僕が引き受けたのは、真夜中にストーブの石炭を足すことだった。それが自分の仕事だと宣言することで、美しい義姉とひとつ屋根の下に暮らす言い訳にしたというわけだ。

習慣というのは恐ろしいものだ。独り立ちしてからも、酒に酔った夜は兄貴と兄嫁と甥っ子たちが住むその家にやってきては、入口の門を足でどんどん蹴ったそうだ。もちろん僕自身は覚えていない。戸を開けてよ！　と声を張り上げたこともあったとか。義姉が開けてくれると春だろうが、夏だろうが、秋でも冬でも、玄関から庭に入るとやみくもに地下に下りていったって。無意識のうちに石炭を持っていかなくちゃと思ったんだろうね。地下に下りると石炭の置いてあった所にうずくまったまま、また寝てしまった。その頃の僕はそんなだった。

その後、酔って昔の家に押しかける癖はしばらく鳴りをひそめていた。ところが今年の元日に、僕が入っている写真同好会の独身の会員だけが集まって江華島《カンファド》に写真を撮りに行った時、江華島の冬に魅せられたせいか、皆で酒を飲むことになった。そのうちぼたん雪がしんしんと降ってきた。酔った僕はタクシーに乗って、無意識のうちに以前、兄貴や義姉と暮らしていた町の名前を運転手に告げていたみたいだ。その家は長い路地の突き当たりにあった。路地がとても長いから玄関の門を開けて中から路地を眺めると、遠くの方が霞んで見える気がすることもあった。それでも、春にはあちこちの家の垣根の中から、とげに覆われた蔓に咲くバラの花の香りをかぎながらその道を歩く、夢のような時間もあった。

新年、最初の日の零時頃に、今はもう誰が住んでいるのかもわからない、昔の家があるその長い路地へ僕は入っていった。思い出の石炭ストーブの石炭を取りに行こうと、僕の歩みが早くなったのかもしれない。元日から降った雪が凍って、その上にもう一度新しく積もっていたから、つるつる滑りそうだった。ひっそりと雪が降っているだけ。その雪道の上にきゅっきゅっと足跡を残すだけだった。

もう少しで兄貴と暮らした家に着きそうな時だった。前の家の塀の上に、どういう訳か一人の青年が必死に這い上がろうとしていた。体は小さかった。二十歳を超えたばかりかなと思った。僕は昔の家の前に立って、その青年をじっと見つめていた。こんな夜中にいったいどうして大変な思いをして、塀を登ろうとしているんだろう。酔っていたから、泥棒だという考えも思いつかなかった。青年は何度も滑っては諦めずに、また這い上がろうとしていた。まったく人生は楽じゃないなって考えたよ。その姿が哀れだとまで思った。大学入試やら、就職試験やら、これまで何度も失敗してきた人の後ろ姿だった。やっと塀の上まで登った青年は、深く息を吐いてホッとしたようだったけど、路地の向かい側で自分をまじまじと見ている僕に気づくと、びっくり仰天したようだ。ところがその顔には覆面をつけていた。真黒な覆面の上に真っ白な雪が降りかかっていた。面白い格好だなと思った。覆面の中の目と僕の目が合ったけど、特に話すこともないから、

「そこで何してるんですか」と聞いた。

カバンからカメラを取り出して写真を撮りたかったが、そんな気力は残っていなかった。なんとなく挨拶のつもりでそう尋ねただけだったのに、青年はせっかく苦労して登った塀から、ネコみたいに軽々と飛び降りて

「明けましておめでとうございます！」

腰をかがめて僕にそう挨拶をしたかと思うと、降りしきる雪の中、その長い路地を矢のように走っていった。あんなにかけ出したら転んじゃうだろ、と思ったら案の定転んでしまった。青年はすぐにまた起き上がると、そのまま後ろも見ずに夢中でかけ抜けていった。

二部——半月に

風景

　ようやく一歳になったくらいの子どもを背負った女が、地下鉄駅の構内に続く階段を降りてくる老婆を見ている。老婆は八十歳は越えていそうだった。眠たそうな子どもが背中でむずかると、体を揺すってあやそうとしながら、彼女の視線はそれでも老婆から離れない。皺くちゃになった老婆は痩せこけて、体重は四五キロぐらいしかなさそうだ。左手に紙袋、右手にベージュ色のカバンを持っている。子どもを背負った女は、今度は老婆の後をついてくるパーマをかけた女の方に目を向けた。娘なのか、それとも嫁だろうか。パーマの女は老婆の体重よりも重そうな荷物を頭に載せていた。

荷物は麻の風呂敷できつく括られたまま、パーマをかけた女の頭に重くのしかかっていた。階段を降りてくる間、その眉間にはきつく皺が寄せられていた。

「じゃあ、私はこれで帰りますよ。子どもたちが学校から帰る時間だから」

パーマの女は駅のホームに頭の包みをどすんと置くと、老婆に向かって形ばかりの挨拶を残して足早に階段を上がっていってしまった。彼女は老婆が呼んでも振り向きもしなかった。

地下鉄がもうすぐ入ってくるという案内放送が聞こえると、老婆が子どもを背負った女に、これは堂山《タンサン》駅に行く電車かと尋ねた。彼女は心配そうな顔つきでうなずいた。こんな荷物を引きずってどうやって地下鉄に乗るのかと思っているようだった。電車が轟音《ごうおん》を上げながら構内に入ってきてドアが開いた。子どもを背負った女は何度も老婆を見ながら先に電車の中に入った。子どもを背負っているせいで老婆を助けることはできなかった。老婆はすぐに手持ちの荷物を先に入れてしまうと、両手で大きな風呂敷包みを抱え上げて乗りこんできた。がりがりの体つきなのに力は強い。あんなに大きな荷物を老婆が持ち上げたのが不思議だった。電車の中は午後だからか混んではいなかった。次の駅で降りようと立ち上がった人たち以外には、立っている乗客はいない。それでも座れる席は空いていなかった。座っている乗客たちは、携帯を覗きこんでいたり、目をつぶってイヤホンで音楽を聴いていたり本を読んだりしていた。誰も老婆と、子どもを背負った女には目もくれない。彼女はひとつだけ空いていた席の前に行って老婆を振り返った。老婆に席を譲るか、自分が座るか迷っているようだ。老婆は「お座りよ」と言ってから、自分は荷物の上に腰を下ろした。その額には汗のしずくが玉のように浮かんでいた。

子どもを背負った女が少しすまなさそうな表情で座ると、向かいに座っていたおばあさんが席を詰めて、そんな所に腰かけてないで、自分の横に座れと老婆に声をかけた。初めは遠慮していた老婆もしきりに勧められるので、狭いすき間に割りこんで座った。やせ細った体つきだったから無理ではなかった。

「年寄りが何で大荷物を持っているんだい」

席を勧めたおばあさんは舌打ちをしながら話しかけた。

「娘の所に持っていってやろうと思ってね」

「何を?」

「大したもんじゃない。あたしが使ってた蝶《ちょう》の飾り金具がついた物入れなんだけどね。娘が気に入ってたんだよ。お迎えが来るのも近いみたいだから、持っていってやろうと思って」

「だったら、取りにこいって言うか、タクシーでも呼ばなくちゃ」

「取りにこさせるのも悪いし、迷惑かけるみたいで。タクシーは高くつくだろ」

背負っていた子どもを今度は前にだっこしながら、女は八十には見える老婆と七十くらいと思われるおばあさんの話を、じっと聞いていた。

「悪いだって? 何が悪いの。あたしはあんたみたいな年寄りを見ると腹が立つよ。はらわたが煮えくり返るくらい。だってそうだろ。自分の体だって言うこと聞かないってのに。まったく。体よりでかい荷物を抱えてどこに行くっての。どれほどのもんなのさ、この包みがいったい!」

見ず知らずの、それもたった今地下鉄の中で初めて言葉を交わした人に罵《ののし》られても、老婆はそりゃそうなんだけど、と言われるままでいる。

子どもを抱いた女は、ちょっと前に老婆の前にどすんと荷物を置き去りにして、帰ってしまったパーマの女を思い出していた。お嫁さんなんだろうなと思いながら。

「どこまで行くの」

「堂山駅」

「娘さんが駅まで迎えに来ることにしたのかい」

「いいや」

「堂山駅で降りて、この荷物を持って、いったいどうするつもりなんだい」

「渡る世間に鬼はいないって言うだろ……でも、あんたに持ってくれなんていうつもりはないから、心配ご無用だよ」

「他人事に思えないから言ってるんだよ。いい加減、こんなのよした方がいいよ。あたしたちが何か罪でも犯したわけでもないのに。自分の子どもにまで迷惑かけるんじゃないかなんて考えながら暮らさなくちゃならないかね。子どものことならたとえ火の中、水の中って尽くして生きてきたんじゃないの。これだけ年を取ったんだから、もう自分の権利を主張したって罰は当たらないだろ。すまないとか、迷惑かけるんだとか思わないで……もうちょっと自分のこと考えなくちゃ」

「あんたならほんとにそうできるのかい？」

それまで、こんな重い荷物を抱えてどこに行くのかと、小言を言っていたおばあさんの目に動揺が起きた。自信たっぷりに老婆をたしなめていた口ぶりが、すっかり変わってしまった。

「あたしもね。何日か前に出かけようと思ったら、頭のてっぺんからつま先まで痛み出して、一歩も動けなくなっちまったから、あちこち家族のところに電話をかけたんだけど、誰も出なかったんだ。息子が四人と嫁が四人、孫が何人だったたっけ。孫が……だけど誰一人電話に出なかったよ。やっとのことで地下鉄の階段を上がることは上がったんだけど、めまいがして、もう死んじまうかと思って入り口の所に座りこんでしまったんだ。通りすがりの若いのが、どうしたんだと聞くから、体に力が入らないって言ったら、僕が手を取ってあげるから立ってごらんなさいって。あたしは少したら起き上がって歩くから、かまわないで行きなさいって言ったら……」

「そしたら？」

「しばらくして、戻ってきたその子が、飴《あめ》の包み紙をむいてひとつ口に入れてくれて去っていったよ」

老婆が笑った。

「だから、渡る世間に鬼はいないって」

「あたしが可哀想に思えたんだろうね。だけどあたしは別に可哀想な人間じゃないんだよ、わかったか！ってその子の背中に向かって憎まれ口を言いながら、いつの間にか口の中では飴をペロペロ舐めているじゃないか」

ぴくぴくしていたおばあさんの目に涙がにじんでいた。自分の体より重い、娘が気に入っているという物入れを風呂敷に包み、地下鉄に乗って娘の所に行くという老婆が、おばあさんの手をそっと握りしめた。するとおばあさんは老婆の手の上に自分の手を重ねた。いつの間にか二人の老婆は互いにもたれかかったまま、居眠りをしていた。子どもを抱いた女がむずかる子に乳を含ませて二人をじっと見ていた。地下鉄は堂山駅を通り過ぎていった。

Kに起こったこと

来年三十五歳になるBが彼と別れるという話を聞いて、女子高時代の友人たちが急遽《きゅうきょ》集まった。カフェの扉を押して見回していたKは、Bたちが座っているのを見つけると前に垂らしていたスカーフの片方を背中に回して足早に近づいていった。KはBを見ると片目をつぶってみせた。

「ごめん。私が一番遅れたわね」

むっつりしているB以外はCもMもRも一斉にKに皮肉っぽい目を向けた。

「あんたはいつだって最後じゃない。何を今さら」

「ほんとに、今日こそは私が一番乗りしようと思ってたんだけど……」

その言葉が終わらないうちに、B以外の皆がリレーでもするみたいに、「ガスの火をつけっぱなしにしたのを思い出して消しにいったんでしょ?」「旦那から書類封筒を忘れたから届けてくれって電話がきたのよ」「出かける準備を早くし過ぎて、まだ時間があると思ったからひと寝入りしちゃったにきまってる」などと一斉に浴びせかけた。いつもならこの辺で、「そうなの……ごめんね」と言うはずのKが、今回は「違うってば!」と声を荒らげた。

「そんなんじゃなくて、裁判所に行ってきたのよ。離婚書類を出してきたところなんだって」

一瞬、皆がしーんと静まり返った。五分くらい経ってからそれまで黙っていたBが、「いったいどういうこと?」と口を開くまで誰もがガンと一発殴られたみたいに、ぼんやりとKを見つめたまま言葉を継げないでいた。Kは注文を取りにきた店員にアイスティーを頼んだ。カフェの窓の外に見えるイチョウの葉が風に揺れていた。アイスティーが運ばれてくるまで、ヘソン女子高ヒトデ倶楽部の友人たちは、Kが何かを言

い出すのを待ちながら沈黙を守り、それぞれKが？　Kにそんなことが？　そんなはずが……こともあろうにKがそんなことするはずないと、頭の中で反芻するばかりだった。ヒトデ倶楽部というのは、女子高時代のある夏、ここにいる五人が西海岸の海辺に旅行に行った時、岩にヒトデが張りついているのも知らずにその岩に腰かけて、「貝殻をつないで彼女の首にかけ——」と歌いながら遊んでいると、腹をたてたヒトデの襲撃を受けてから付けられたグループの名前だった。特にその時Kは、ヒトデに足の指を噛まれてしまったために、今でも西海岸の近くには足を向けたことがなかった。

Kがアイスティーを飲み終わるのを待って放送作家のRが「どうしたのよ」と尋ねた。五人のうちでただ一人結婚したのがKだった。結婚はしないと約束したわけではなかったが、子どもが好きで幼稚園の先生になったCも、いつも口癖のように結婚したらその日に辞表を出すと言っていた客室乗務員のMも、ボーイフレンドの一人もいないまま、三十代の半ばを迎えようとしていた。唯一、息長く付き合っていた恋人のいたBまでも、その彼と別れると言い出したところに、Kが離婚書類を出してきたというのだから、自分たちはどうして男運に恵まれないのか、時々真剣に話し合うことさえあった彼女たちにとっては、沈黙してしまうような事件であるのは間違いなかった。それも、今まで夫に対する恨みごとのひとつも言ったことのないKだった。これまでKが家庭をおろそかにしていると思われないよう、皆がどれほど気を使ってきたことか。集まりの日程をKの都合に合わせるのは基本だったし、彼女がもう少し遅くまで一緒にいたそうにしていても、早く家に帰るよう仕向けたり、二人の子どもたちに競ってプレゼントを買ってあげては、素敵なおばさんに見られるよう、努めてきたというのに。

「何があったのか、ちょっと話してみなさいよ」

Bが彼と別れるのをやめさせようと集まったはずなのに、彼女のことはそっちのけで皆が心配そうに、Kを見つめていた。答えの代わりにアイスティーを飲み干したKがBに聞いた。

「あんたはどうして彼と別れようっていうのよ」

「Bが怒って何日も連絡しないでいても、そいつは怒ってたのも知らなかったって。待ちくたびれて電話したら、返ってきた言葉が『どこかに行ってたのか』だってさ」

Mが Bの代わりに答えた。その言葉を聞いたKはプッと吹き出した。何で笑うのかと、再び皆が彼女を見つめた。

「そんなことで大騒ぎしてるの」

「頭にくるでしょ。週末の夜、一緒に過ごしてた時にケンカして家を出たんだけど、一人でマンションの前を行ったり来たりしてから、ふらふらと南大門《ナンデムン》市場で夜のマーケットをうろついて帰ってみたら、知らん顔して寝てるっていうじゃない。結婚もしないうちからそんなに相手に無関心でいて許せると思う？」

「男ってみんなそうなの？」

皆、Kが離婚書類を出してきたことを忘れてしまったのか、好奇心いっぱいにKが答えてくれるのを期待している顔になっていた。

「何で私にそんなことわかるのよ。十年間、そんなことに腹をたてるくらい寄り添って過ごしたこともなかったのに」

十年。皆は再び考えこんでしまった。Kの二人目の子どもは今年四歳だった。

それまで口をつぐんでいたCが聞いた。

「じゃあ、あんたは何で離婚するの」

Mが促すように重ねて問いただした。

「はっきり言いなさいよ、どんなことがあったのか。理由があるでしょ」

Kは Bがテーブルに置いたタバコの箱から一本手に取った。彼女のそんな姿は誰も見たことがなかった。でも慣れた手つきで火をつけ、タバコを口元に持っていく様子は、最近になって始めたというふうではなかった。

「この間ある雑誌を見たら、結婚して六か月で離婚した女優が、どうして離婚したのかっていう質問に、結婚して初めて自分には合わない相手だということがわかったって答えてた。うらやましかったな。私もそんなふうにシンプルに答えられたらどんなにいいかと思った。あんたたち、うちの旦那見たことある?」

言われてみると、十年前の結婚式以来、Kの夫を見た者は誰もいなかった。

「浮気したの?」

「そんな人じゃないわ」

「じゃ、どうして」

「顔もめったに合わせられなかった。忙しくて」

「そんなこと、知らないで結婚したわけじゃないでしょ。あんたの旦那は死を待つがん患者にとって最後の希望だし、たったひとつの灯なんだから」

Kは力ない笑いを浮かべた。

「ほとんど顔を見ることもできないって、私はともかく、子どもたちにとってはどういうことだと思う？ ミンはほんとに父親が誰なのかも知らないで育ったんだから。大学の研究室からめったに家に戻ることがなかった。あんたたちがいつも私を早く家に帰そうとしていた時、心の中では、帰ってみたところで旦那もいないのに……と思いながら帰っていったのよ。あの人のことを恨みがましく言うのも嫌だったし。だけどね、どういうつもりだったか知らないけど、ひと月前にあの人がソクとミンを連れて席毛島《ソンモド》〔仁川市の西にある島。普門寺や海水浴場などで有名〕に出かけるって言うのよ。私は具合が悪くて一緒に行けなかった。江華島から船に乗って行ったんだけど、あの人が子どもたちに綿菓子を買ってあげたんだって。家に帰ると子どもたちを車から降ろして、自分はすぐにまた研究室に行ってしまった。その時ミンが何て言ったと思う？」

ソクはKの長男で、ミンは次男だった。

「ミンがね、私に……ママ、ソク兄ちゃんのお父さんがね、ボクを船に乗せてくれて、綿菓子も買ってくれたんだよ！　だって」

「……」

「ミンに、お兄ちゃんのお父さんっていったら、あんたのお父さんでしょって言った瞬間、気がついたの。もう離婚しなくちゃってね」

皆はそれ以上何も言えなくなって、一斉に窓の外に目を向けた。

ある郵便配達人の話

小包で送るものがあって、郵便局に荷物を取りに来てくれるよう頼んだ。サインをした本を五十冊送らなくてはならなかった。午後三時頃、郵便局から配達係の人がやってきた。五十冊の本といえば並大抵の重さではなかった。その上、箱が破れてもう一度テープで張り直さなくてはならなかったし、重量超過で分けて送らなくてはならないという手間のかかることを、その人は明るい表情を崩さずにてきぱきとやってくれた。

フランスの田舎の村では、郵便配達人が来ると配達先の家々の戸口では、ワインやコニャックを一杯ずつ振る舞う習慣があって、手紙を配達し終わる頃には配達人はすっかり酔っ払って帰ることになるという話を思い出した。酒はだめだろうと思って、お茶でも差し上げましょうかと尋ねてみたら、いただきますと応じてくれた。おかげで玄関に座ったその人と、よもやま話を交わすことになった。楽しそうにお仕事なさるんですね、と言うと、もちろん、楽しいですとも。この仕事のおかげで子どもたちを学校に通わせることもできたし。だけどこの仕事も来年までしかできないんですよと言う。なぜ？　と聞くと、停年退職するから、やりたくてもこれ以上はできないんですと言った。帽子を脱ぎながら汗を拭く姿に寂しく無念だという気持ちがにじみ出ていた。背は低く短く刈り上げた髪。にこにこする笑顔が童顔のせいか、とても停年退職を控えた人のようには見えなかった。

その人は二十一歳の時、水安堡《スアンボ》〔忠清北道の温泉で有名な町〕からソウルに上京して郵便配達人になったという。一緒に就職しようと試験を受けた、兄くらいの年齢の人は落ちて、自分だけが合格したそうだ。兵役に就いていた三年間を除けば今まで四十年近く、この仕事で生きてきた。ソウルに自分の足跡が残っていない路地はないだろうとも言った。若い頃は大変な人気者だった。その頃鐘《チョン》路《ノ》区の玉仁洞《オギンドン》は、小高い山の中腹にある貧しい人たちの住む地域だった。今日のような暑い夏の日、「逓信部」という文字が書かれた大きな革カバンを肩に下げて、汗びっしょりになって坂を上がると、町内の奥さんたちが自分の家に寄っていけと捕まえて放さなかったそうだ。その当時はどの家にも水道の代わりに、裏庭に小さなわき水が出る場所があって、彼をその泉の所まで連れていって、背中から首まで冷たい水をかけてくれるおばあさんもいたし、あちこちでマクワウリやらスイカやら、スモモを食べていけと出されるままに口に詰めこむと、その町を出る頃にはお腹がこんなにふくらんでしまったと、住所を書いていたボールペンを指にはさんだ手を前に突き出し、両手で円を描いて見せると楽しそうに笑った。

これまでの出来事が走馬灯のように浮かんでくるのか、必死になって生きてきましたよ、中学校しか出てないからこの仕事が天職だと思っていました。もっと続けたいけど規則があるからどうしようもないですよ、などとつぶやいた。こちらが真剣に耳を傾けて聞いていたせいか、とうとう子どもたちの自慢話まで始まった。息子はアメリカで勉強中だけど、もうしばらく勉強を続けなくてはならないとか、自分がやりたくてもできなかった勉強だから、息子には心ゆくまでさせたいとも言った。お金を送ってやらなくちゃならないから、もっと働き続けなくちゃいけないんだけど……。その表情には心配と悔しさがにじみ出ていた。娘は今年大学を卒業して就職したそうだ。今は就職が大変だというのに良かったですねと言うと、卒業しても四か月くらいは就職が決まらなくて、娘も気が気でなかったんですよともらした。四か月なんてほんのわずかの間じゃないですかと気休めを言ったら、卒業したのに就職ができないでいたから、その間は一歩も外に出なくて。この頃は履歴書もインターネットで受け付けているじゃないですか。書類を出しても落ちてがっかりしている姿を見ているのが不憫だったけど、幸いうまくいったんです。初めての月給で赤いTシャツを買ってくれました。私がいくつだと思ってそんなものを着ろと言うんだか……。

口ではそう言いながら、娘さんのことを思い浮かべただけでも満足だというように、口元に笑みがこぼれた。きっと家に帰ればその真っ赤なTシャツだけで過ごしているのだろう。退職したら田舎で暮らしたいし、そう考えたら今からでも田畑を耕せる土地を探して準備をしなきゃならないけど、妻がそんなことは考えてもいないから、いまだに何の準備もできていないと言う。果たしてその夢がかなうかどうかはわからないが、これまで四十年もわき目もふらずに郵便配達を続けてきたように、きっとその土地を懸命に耕し続けていくだろうと思えた。世の中は絶え間なく変わり、その変化はまるで力のある人たちだけが作り出しているように見えるけれど、実際は自分の持ち場で誠実に日々の暮らしを営んでいる、こうした人たちが動かしてきたのだという気がした。

お茶を飲み終えて、重い本の箱を肩によいしょと担いで戸口から出て行ったその人が、何かに魅せられたように感動した面持ちで立ち止まった。

何を見ているんだろうと思いながら、その視線の先を目で追った。春に野菜の種を買いに行った農園で、ミズアオイの花が目にとまったので（私はホテイアオイだと思ったが、農園の主人は絶対にミズアオイだと言った）何とはなしに買ってきて、使っていなかったガラスの器に水を入れて浮かべたまま忘れてしまっていたのだ。それがこの暑い夏の日に、つぼみを開きいくつもの紫色の花を咲かせていた。主人がどんなに無関心でいても、自分のなすべき仕事をやり終えたミズアオイは、郵便配達人のその一瞬を明るく照らし出していた。

ネコ男

僕は不思議なことに十一月になると家に帰るのが嫌になる。それで毎年十一月になったら決まって街をうろつくようになる。理由があればそれを解決すればすむけど、何の理由も見当たらない。家で待ってくれる人がいないから？　それなら十月だって三月だって同じことなのに、どうしてよりによって十一月だけそんなことになってしまうのか。酒が飲めたら居酒屋にでも行けばいいが、あいにく酒は一滴も飲めない。酒の匂いをかいだだけでも顔が真っ赤になってしまうくらいだから。

そんな訳でこの頃出入りするようになったのが、家の帰り道にあるブックカフェだ。

十一月に入ってから会社の帰りに街をうろついていた時にそのブックカフェを見つけた。帰り道の途中にあったからもっと前に気がついてもよさそうなものだが、今まで目に留まったことはなかった。今ではこのカフェでギターまで習っている。心の余裕もなく過ごしてきた自分が、ある日突然見知らぬカフェの常連になり、ギターを習うことになるなんて！　いずれにしても、早くこの月が終わるのを待ちながら寂しくギターを習っている。一緒に習っている人たちはいるけど、お互いに顔見知りというわけではなく、このカフェに出入りしているうちに知り合いになっただけだった。

十一月になるまでの自分は実に勤勉にサラリーマンをやっている。何の変化もない日々を、文句ひとつ言わずに正確に繰り返すような人間だ。家に帰る途中でブックカフェなんかに寄っていくようなタイプでもない。コーヒー代がもったいないこともあるかもしれないが。ともかく僕は十一月になってからというもの、この店の上客になっている。テーブルが窓と壁に向かって細長く配置されているが、いつも壁に向き合う席を選んで座っていた。正直なところ、本棚に並んでいる本は一度も手に取って広げてみたことがない。本を読む習慣はある日突然できるものじゃないと思う。そうやって三十になってしまったから、今から本を読もうとしても、どんな本を読んだらいいのか見当もつかない。誰かが誕生日のプレゼントに読んでみたらと本をくれたことがあったけど、何ページも読まないうちに居眠りしてしまった。そんな自分がよりによってブックカフェに居場所を見つけるなんて、十一月じゃなかったら想像もできないことだったろう。それでも家に帰りたくないんだからしょうがない。幸いここには一人ぼっちの客が多くて、自分が壁に向かって一人で座っていても、誰に文句を言われることもない。自分以外の客はほとんどノートパソコンをのぞきこんだり、本を読むのに夢中だから、他の人が自分のことをどう思うかなんて考えずにすむ。

僕は証券会社に勤めている。一日中カスタマー・ラウンジで大勢の顧客を相手にしていると、正直、業務が終わったら一人になりたいという考えしか思い浮かばない。誰も知らない所で、一人きりになって休みたいという気持ち。もしかしたら十一月頃になるとそんな気分が抑えられなくなって現れてくるのかもしれない。でも人の集まる所には、それがどんな所であっても思いがけないことが起きるのはよくあること。ここも最初の頃は誰も知らなかったのに、だんだん見慣れた顔が一人二人とできるようになった。このカフェで一週間に一度、ギタリストを招いてギターを習う集まりがあることも知った。何度かその集まりを見ているうちに、自分の部屋にクラシックギターが長い間置き去りにされていたのを思い出して、自分も一緒にやってもいいかと聞いてみた。すると気持ちよく、いいよと言ってくれたから、何の気兼ねもなくその集まりに顔を出すようになった。他の人たちも別にお互い知り合いというわけじゃない。もちろん僕みたいに十一月のせいじゃないだろうけど、家に早く帰りたくはない人たちがこのカフェに来て、コーヒーを飲んでいるうちに言葉を交わすようになったんだと思う。やはり早く帰りたくないと思っていたギタリストが、偶然ブックカフェに出入りするようになって、ある時ギターを弾いていたら誰かが教えてほしいと言ったのが始まりで、何人かが習うようになり、とうとう僕まで加わることになったというわけだ。

だけど、昨日は何の連絡もなく彼が来なかった。一度もそんなことはなかったのに。教えてくれる人が来ないから、僕らはただぼんやりと座っていた。みんなギターを手にしながら。そしてその時気がついた。今まで互いに名前も知らずにいたってことを。

先生を待ちながら自己紹介をした。本を作る編集者とか、ゲーマーとか。スパゲティ専門店で昼間だけアルバイトをしているという人もいた。そのうちのある人が、自分は一日中ネコたちの世話をして暮らしていると言った。

「ネコですか」

誰かが聞いた。

「ええ、ネコですよ」

その人はフリーターだそうだ。大学を卒業してから就職先を探し、ずっと落ち続けて三〇社目くらいだったか、また落ちてしまったその日、家に戻る夜道で野良ネコが後からついてきたと。そのネコを家に連れ帰ってから彼はネコと暮らすことになった。もう就職は諦めてアルバイトをすることにしてからは、道でさまようネコを見つけると、そのたびに家に連れてきた。偶然始まったことだったけど、今ではネコだけで四三匹になったそうだ。アルバイトで稼いだお金はほとんどネコの餌になってしまう。誰もそれからどうなったかを聞かなかった。その人の顔をそれとなく見ると、ちょっと見にはネコではなく恋人が四三人いるといってもおかしくないほどハンサムだった。

それなのに何でまたネコかと思った。考えてみたら自分だって、どうして十一月になると家に帰りたくなくなるのかと聞かれたら、言葉が見つからないんだから、そんなこともあるのかもしれない。このブックカフェに出入りするようになったのも、ネコのせいだとか。彼らがあまりに増えてしまったから、時にはネコから離れて、カフェで座っているのだと。ネコを追い払ってしまえばいいじゃないかと言ったら、それはできないそうだ。もうネコなしには生きられないって。ただ時々ここに来てコーヒーを一杯飲めれば、それで充分だと聞いて、僕らは黙ってコーヒーを飲んだ。初めはギターの先生を待っていたのが、そのうちそんなことは忘れて皆それぞれの世界に入りこんでいた。するとネコ男が一番先に立ち上がった。ネコたちの所に行かなくちゃと言いながら。餌をあげる時間だからって。皆、ネコ男がカフェの扉を開けて道を渡っていく姿を目で追っていた。

「あれを見ろよ!」

誰かが低くつぶやく声に、皆目を丸くして窓の外を見た。向こうの曲がり角から一匹の野良ネコが現れたかと思うと、背を丸めて歩くネコ男の後を早足でついていくのが見えた。どうしてネコ男のことがわかったんだろう。皆かたずをのんでどうなるか見守っていた。彼はすぐに振り返ってネコを見た。どうしたことか、ネコは彼の足の上にぴょんと飛び乗ったんだ。しばらく足の上に乗ったネコをじっと見下ろしていた男は、しょうがないというように、ネコを抱き上げた。僕らはネコ男の家族が四三匹から四四匹になった瞬間を目撃することになった。するとなぜか目頭が熱くなってきた。早く十一月が過ぎてくれなくちゃ……。

私たちがきれいだと言われた時

　どうしてそんな話になってしまったのかわからない。Aのせいだったかもしれない。遅れてきたAが切り出したのは遅れてごめん、という言葉じゃなくて「私、今日きれいだって言われた」だった。皆、え？　という顔でAの表情をまじまじと見た。いやね、ここに来るのにタクシーに乗ったんだけど、ほんのさっきのことよ、降りる時に運転手さんが、こんなことを言ったら失礼かもしれないけど、ほんとにおきれいですねって言うじゃない。初めは何を言ってるのかと思ってAを見ていた私たちは、ようやく、やれやれとブーイングを浴びせかけた。

「あんた、よっぽどきれいって言葉に飢えてたのね。どうせまたお釣りはいらないって言って降りたんでしょ」

「お釣りなんていくらもなかったわよ」

「だからきれいだなんて言ってくれたに決まってるじゃない」

「お世辞だってこと？」

「違うの？　もしお釣りをきちんと受け取ってたら、そんなセリフ出てくると思ってんの」

「まあね、この年で誰かにきれいだって言われるのを期待するのは無理かなぁ」

急にAが黙りこくってしまった。Bがだからってそんなに不機嫌になることないじゃない、と言いながら、あんた今日に限ってほんとにきれいねぇと追い打ちをかけた。

二人の話を聞いていたCが突然、そういえば私も何日か前にきれいって言われたのと言い出した。あんたまで何を言うのという目つきで皆Cの顔を見つめた。

「ほら、うちは一月に引っ越しすることになってるでしょ。何日か前、その家に壁紙を貼りに来てくれた職人の夫婦がいたんだけど、私が紅参茶《ホンサム》〔高級な高麗人参茶〕を淹《い》れて持っていってあげたら、私に向かって、実にお美しいって言うのよ」

皆、今度はCに向かって揶揄の声を飛ばした。Cは顔を赤くして言った。

「あんたたち、紅参茶のせいだって言いたいんでしょ！」

誰も違うの？　とは言えなかった。実際のところCはきれいだった。女子高の同窓生の中でも一番美人だった。その頃私たちがCと一緒にいるとよく男子学生たちが声をかけてきたものだ。一緒にパン食べない？　とか、映画見に行こうか、とか。私たちはCの友だちだというだけで美味しいアンパンをごちそうになったり、楽しく映画を見ることができた。Cのおかげだった。その時突然切ないような沈黙が流れた。あんなにきれいだった彼女に、その言葉をかけなくなってからどのくらい経っただろう。大学にも行かずに早々と結婚をしてからか。私たちが大学生活を楽しんでいた頃、彼女は子ども二人の母親になっていた。子どもたちと夫、病気の姑の世話までするようになってからか。その後夫に先立たれ、後を追うように旅立った姑を見送ってからのことだったかもしれない。Cの顔は美しいというより、今は固くひきしまったように見えた。今度の引っ越し先は徳沼《トクソ》〔ソウル市内からバスで一時間ほどの新開発地〕だという。

住まいがソウルから少しずつ遠ざかっていくようだったが、とうとうそんな遠くに移っていくことになった。

Bが多少気まずくなった雰囲気を変えようとするかのように、さあ、それじゃ今から一人ずつ市井の人々からきれいだと言われたのがいつのことだったか、発表することにしよう、と言った。市井の人々からというBの表現に、私たちはまたどっと沸いた。それぞれが遠い遠い昔に帰っていった。幼友だちとままごと遊びで父や母の真似事をしていた頃に。お兄ちゃんの友だちに初めて会った時に。おばあさんの背中をかいてあげた時代に。小学生の頃仲良しの子と机に境界線を引いたら、その子が書き取りの時間に何度もひじをはみ出させるから、筆箱で押し出そうとした時、やめてよ、あんた顔がきれいだったら何をしてもいいっていうの！　と言われたとDが言った。

Sが市井の人々からきれいだと言われた時はこうだった。彼女にとって市井の人々は飴売りだった。まだ幼かった時、Sは田舎の伯母さんの家で暮らしていた。妹が病気で母親が看病しなければならなかったからだ。私たちの中でも一番都会育ちだと思わせるSに、そんな過去があったのを初めて知った。伯母さんの家の前で村の子どもたちと遊んでいると、飴売りが大きなはさみをカチャカチャ鳴らしながら〔飴を切るはさみを客寄せのため鳴らす〕通り過ぎようとして、子どもたちの前で足を止めた。Sは子どもの時から、同年配の子どもより頭ひとつ背が高かった。今も一緒に歩けば地平線の果てに現れたキリンのように、私たちより頭ひとつ抜きんでているのがSだった。地面に線を引いて他の子どもたちと遊びに夢中になっていた彼女の市井の人々、飴売りが「おい、そこの可愛いお嬢ちゃん！」と言いながら、大勢の子どもの中からはさみを向けて名指ししたという。私たちが、それがあんたのことか、後ろにいた他の子どもなのかわからないじゃない、と言うとSは、その場にいたら紛れもなくあたしだってことがわかるんだって。ほんとにあたしよ！　とむきになって皆を笑わせた。

Sが飴売りを見ていると、家はどこか聞いてきたそうだ。家のすぐ前にいたのに、自分の美しさにこの世で初めて気づいてくれた飴売りに本能的に、ずっと遠い所よ、って答えたという。そうかい、と言うと、俺が家まで送っていってやるよ、と言いながらSを素早く抱きかかえ、飴売り台の上に乗せてしまった。飴売りは再びはさみをカチャカチャ鳴らしながら、そこにいた子どもたちを残したまま、歩き出した。彼が家はどこだい、と聞くと前の方を指して、あっちよ、と言った。そうやって自分を乗せた飴売りが、病気の妹がいる家まで連れていってくれたらいいと思っていたそうだ。自分が妹の世話をすることだってできるし……。でもその村から両親のいる家までどうやって行けばいいか説明できないから、ただ、あっちよ、としか言えなかった。飴売りがSを乗せていったことを知った伯母が、顔色を変えて裸足のまま後を追いかけ、小さい子どもを連れ回していったいどうするつもりなんだ！　とすごい剣幕で飴売りをふるえ上がらせるまで、村の中をぐるぐると三、四回は回り続けたそうだ。

冗談から始まった私たちの話は、初めてきれいだと言われた時代をとうに過ぎて、二十代から三十代、四十代も越えて果てしなく続いた。

夕方も過ぎ、真夜中も過ぎて、月が沈むまで……。

鼻クソの話

姉さんはぼくが三十歳を過ぎた今も、時々「デコちゃん」と呼ぶ。そう呼ぶのは、義兄さんが姉さんの膝にほじった鼻クソをくっつけた時だったり、ぼくらがデコちゃん、カワイコちゃんと呼ばれていた、子ども時代のことを思い出した時だったりする。あだ名は誰でもそうだろうが、自分がその呼び名に同意したわけでもないのに、いつの間にか「デコちゃん」ということになっていた。頭の後ろの方が出っぱっていたからか、おでこが広々としていたからかはわからない。ぼくの記憶では頭の前も後ろも出っぱっていたからかもしれない。子ども時代は人生の長い長い影法師だ。今でも結婚式場なんかで、同じ村の幼友だちに会った時、ミノです、なんて言っても、ミノ？誰？っていう表情になって、横で誰かがほら、あのデコすけだよ、って言うとああ、あの時のデコすけか、という具合になる。しょうがない。その人たちにとって、ぼくはミノではなくて、デコすけとして覚えられているのだから。一度デコすけになったら永遠にそのままだ。

姉さんは小さい時、カワイコちゃんというあだ名だった。可愛いからそう呼ばれていたという説もある（本人はそう思いこんでいるふしがある）。おばあちゃんがある年の春、庭先でメンドリの後ろからよちよちとついて歩く黄色いヒヨコを見ていて、本当に可愛いなと、思わず「カワイコちゃん」と呼んだそうだ。それから少しして、庭でおばあちゃんが「カワイコちゃんたち！」と呼んだのを、近くで遊んでいた姉さんが自分のことだと思ってバタバタ駈けて行ったから、それ以来、皆が姉さんをカワイコちゃんと呼ぶようになったとか、いろんな説がある。

いずれにしても、デコすけのぼくと、カワイコちゃんの姉さんは三歳違いだった。このミノが高校生になってからは、誰もデコすけとは呼ばなくなったし、呼べなくなった。なのに姉さんだけは三十を過ぎたぼくに向かっていまだに時々「デコちゃん」と呼ぶ。そんな時の姉さん、カワイコちゃんは焼酎を何杯か空けて酔っぱらってたり、寂しがっているこどもある。ちょっと皮肉っぽく言ったけど、正直なところ姉さんはきれいだと言っていいと思う。普通に言うきれいな顔立ちと言うより、愛らしいと言おうか。目は小さい方だけどパッチリしてて、鼻筋も小ぶりだけどすっと伸びている。何といっても笑った時に両頬にエクボができて、姉さんがそのエクボを浮かべて笑うのを見ると、弟のぼくでもまいってしまう。

デコすけのぼくは子どもの頃から、笑っている姉さんを見ると、姉さん、と語気を強めて呼んだものだった。姉さんが何よ、って表情でぼくを見つめると、誰の前でもそんなふうに笑っちゃだめだよって言った。何言ってるの、という顔つきで、どうしてよと聞かれても論理だてて説明はできないから、だめだったらだめだよって声を上げた。小さい頃から姉さんの笑顔を他の誰とも一緒に見たくなかった。ともかくその笑顔のせいで、姉さんを誰かに取られちゃうんじゃないかと不安だった。ぼくの言うことを聞かないで、友だちの前でもやたらと笑顔を見せているうちに、その友だちの一人と結婚をすることになった。さっき言った「義兄さん」というのは、実はぼくの友だちでもある。はっきり言って、二人の結婚を祝いたいという気持ちにはなれなかった。祝うどころか、こん畜生、という気分だった。

うう……それから十年間のことは何も言わないことにする。想像してみてほしい。ぼくの姉さん、カワイコちゃんを妻という名で食いものにする（義兄さんが聞いたら気絶するだろうな。彼女を心から愛しているのは間違いないから）姿を間近に見て暮らさなくてはならないぼく。それこそ父を父とも呼べず、兄を兄とも呼べないホン・ギルドン〔朝鮮時代の小説の主人公、義賊。正妻の子でなかったため虐げられた〕の心情だった。

ぼくの姉さん、カワイコちゃんは、ぼくの友人でもある義兄さんが時々やらかす不埒《ふらち》な行い（汚い鼻クソを指で掘り出しては姉さんの膝にこすりつけるようなこと）をすると決まってぼくに電話をかけてきて、デコちゃん、あんたの義兄さんは何でああなのかしらって聞かれるけど、答えようがない。時には昔の友人という立場から問いただしても、答えるどころか、どんなもんだとでも言うような表情で笑っているだけだった。それ以外は、友人として不満に思うことはあっても、義兄としての彼に不満を持つことはなかった。誰が見ても、姉さんのことを心底愛しているのはよくわかっていたからだ。

ところが今日の姉さんの電話の声にはただならないものが感じられた。今日はぼくの友人というか、義兄というか、そいつが小指ではなく、親指で鼻クソをほじりだして姉さんの膝にこすりつけたというのだった。今までは小指でやっていたのに。どういうことなんだ？　すぐさま義兄さん、いや友人に会おうと姉さんの家に駈けつけた。穏やかに話してやるから今すぐマンションの下にある商店街の、酒も出すフライドチキン屋に来いと伝えた。今日こそはその訳を聞きださなくちゃと、奴が来る前にビールに焼酎を入れたヤツを五杯も飲んで待った。そうでもしないと相手が義兄だという考えがちらついてしまうから。それなのに奴は友人ではなく義兄の顔で、酔っぱらったぼくの前に腕組みをして座りこんだ。ぼくがまず大声を張り上げた。

「いったいなぜなんだ。どうして姉さんにそんなことするんだ。今日は鼻クソを親指でほじったって？　どういうつもりなんだよ。姉さんの膝はお前の鼻クソを拭き取る鼻紙か。何でそんな汚いことするんだ」

ぼく、ミノはこぶしを握りしめて立ち上がり、テーブルにドンとふり下ろした。指が折れるかと思った。ところが奴は義兄の顔をしたままぼくのことをじっと見つめていたと思ったら、あまりにも真剣に激昂しているぼくに向かって、まるで子どもの頃、一緒に面白いマンガ本を見ながら笑い転げていた時みたいな声でケラケラ笑い出した。しかもそれでは足りないというように、とうとうあごがはずれるほどの大笑いを始めた。

こんな時に笑ってるというのか。ぼくはさらに本気を出して詰め寄っていった。

「おい、今日はお前に義兄じゃなくて友だちとして言うぞ。一体姉さんに何でそんなことするんだ。答えないつもりなら、すぐにでも姉さん、カワイコちゃんを連れていくからな！」

義兄というか、友人というか、そいつはなおも笑い続けながらこう言った。

「みんなお前がやってきたことだろ」

どういうことだ。ぼくがやってきたって？

「おれが何でお前の姉さんを好きになったか知ってるか。おれには姉さんも妹もいないのに、お前には三人も姉さんがいたじゃないか。お前の家によく行ったのはお前に会いたかったからだと思ってんのか。他のことは何もうらやましくなかったけど、姉さんがいたってことだけは別だった。ある日お前の家に行った時、一緒にめしを食ってたお前は鼻クソをほじって、当たり前のことみたいに、姉さんの膝にゴシゴシこすりつけてた。忘れたか。いくら弟だからって鼻クソをこすりつけるなんて。ところがお前の姉さんがどうしたと思う？　汚いとは思わなかったのか、文句のひとつも言わないで、今度はお前のスプーンに煮込んだ牛肉をのせてやるじゃないか。おれはその時、開いた口がふさがらなかったよ。姉さんはいなかったけど、兄貴が三人もいたおれが、もし兄貴たちにそんなことをしたら、完全にボコボコにされてたな……お前の姉さんはそれをふき取るどころか、何事もなかったみたいに食事を続けたんだ。その時からおれもいつかは絶対あんなふうにやってやるって思ったもんだよ。わかったか！」

昔そんなことしてたっけ。気勢をくじかれたぼくは静かに椅子に座り直した。

見知らぬ人に書く手紙

今朝、こんな詩を読みました。

彼女が死んだ時、皆は彼女を土に埋めた
そこには花が咲き蝶が飛んでいる
すっかり軽くなっていた彼女はふわりと土に横たわった
そんなに軽くなってしまうまで、どれほどの苦痛を耐えてきたのだろうブレヒトという詩人の「私の母」という詩です。何気なく開いた、昔読んだ詩集から発見したこの詩のために、私は一日中落ち着きませんでした。目先の仕事を片づけようといつもキリキリ舞いしている暮らしの中に、いきなり放りこまれたようにして読んだ詩。まわりには詩のことを話せるような人がいないので、顔も知らないあなたにこうしてメールを書いています。

あなたが誰なのかもわかりません。どうして私の手帳にあなたのアドレスが書いてあったのかも。こうして手帳に残されているということは、どこかで会ったことがあるはずなのに。どこで会ったのでしょう。もしかしたらあなたも私が誰なのかわからないのかしら。わからないからこそ、こうしてメールを書いているのかもしれません。昔はどうしてこの詩に無関心だったのでしょう。

こうして見知らぬ人にメールを書かせるこの詩を、どうしてこれまで忘れてしまっていたのでしょうか。よくよく考えてみたら、メールの相手に見知らぬあなたを選んだのは、互いに相手を知らないからに違いない。そう思います。時に私たちは、自分の秘めた話を親しい人には話したくないと思ったりするから。今の私はそんな気分です。

私はこの詩を今日、一度だけ読んですべて覚えてしまいました。もちろん以前にも読んだことがあるし、短いからということもあるでしょう。よく見ると四行にしかならないこの短い詩には、一人の女性の生涯がそっくり収められていて、ちょっと集中しさえすれば、流れのままに簡単に覚えることができます。でも覚えることの苦手な私が、一度読んだだけで暗記できたというのは不思議なことです。こうしてメールを書いている今も、「彼女が死んだ時、皆は彼女を土に埋めた」と、ブレヒトの詩を暗誦しているんです。「そこには花が咲き蝶が飛んでいる」と。そうして痛いほど気づくのです。以前にこの詩を気にもとめなかった理由を。そうだ、そうだったんです。その頃私の母親はあまりにも若かったからです。

ブレヒトという詩人がこの詩をいつ頃書いたのか、調べてみました。一九二〇年代でした。詩集の後ろにある彼の年譜をたどってみると、一九二〇年に母の葬儀を執り行う……となっています。恐らく詩人は母親の葬礼から帰って、その日の夜にこの詩を書いたのでしょう。そうです。母という存在は詩人を、詩人ではない私のことをも、この世に存在せしめた始まりなのです。詩人は彼の母親を埋葬した時、「すっかり軽

くなっていた彼女はふわりと土に横たわった」と記しながら、どんな思いでいたのでしょうか。「そんなに軽くなってしまうまでどれほどの苦痛を耐えてきたのだろう」と書いたその瞬間の詩人は。読む者でさえ、こんなにも心を揺さぶられるのだから、書いた人はどれほどだったのか。

詩を読みながら、私はずいぶん以前の記憶を思い起こしました。

田舎で生まれた私は、思春期になる頃に母親から離れて都会へ出ていったのです。それからは時間さえあれば母のいる田舎に帰りました。少しでも母と一緒に過ごしたくて、帰りはいつも夜汽車に乗って戻ったものです。その時間も正確に覚えています。十一時五十七分の上り列車。母はいつも駅まで私を見送ってくれました。それが当り前のことだと思っていました。汽車に乗ると、母は車窓から見える所に立っていて、私の膝の上には帰る途中食べなさいと、母が用意してくれたゆで卵やミカンなどがありました。その時の風景が記憶の片隅にそのまま刻みつけられて残っています。それは汽笛を鳴らして出発した汽車の窓から見える、暗いプラットフォームに一人立っていた母の姿です。私は振り返ってそこに立つ母に向かって手を振っていました。その姿が見えなくなるまで。

今朝、ブレヒトのこの詩を読むまでは、私の記憶はそこまででした。いつもそうでした。ところが詩を読んでいる時、ふと私を乗せた汽車が行った後、母はどうやって家に帰っていたのかという疑問がわいてきました。三十年近い歳月が流れた今になって。私の生まれた村は駅から一里は離れていました。その頃はバスも一日三、四回しかなかったし、暗くなる頃にはその便さえ終わってしまったから、汽車が出た後、夜中の十二時を過ぎて母は駅から山道や、あぜ道を歩いて一人で家に帰っていったのでしょうか。三十年経って初めて思い浮かんだ疑問が、稲妻のように私の頭を通り抜けたのです。

本当に母は闇の中を一人で歩いていったのでしょうか。まだ若かった母は夜道を歩きながら何を考えていたのでしょうか。家にたどり着く頃には夜露に履物はすっかり濡れていたはずです。履物を脱ぎながらいったいどんなことを思っていたのか。都会に出てから十年以上続いた駅での母との別れ。そのたびに一人で夜道を歩かなくてはならなかった母のことを、どうして今になるまで思い返すことができなかったのか……自分がたまらなく憎くなりました。

歳月が流れ、私も今はこの都市に自分の居場所を持つようになりました。人生が、新しくできた自分の家族を中心に回り始めて、自然に母のいる所からは、身も心も遠ざかるようになってしまいました。初めて母のもとを離れてから時間さえ許せば、いつも母のいる所に向かっていた自分の思いも、もう遠い昔のものになりました。それなのに今日の朝、ブレヒトの詩を読んだ瞬間、母があの時どうやって家に帰っていったのかを、初めて心に思い浮かべたのです。どうして今まで一度もそんなことを考えたことがなかったのか。結局自分がそんな人間だったのだと今さらのように気づいて、母に対する遅すぎた後悔の念に苛《さいな》まれながら、こうして見知らぬあなたにメールを書いているのです。

本当に彼女は、そんなに軽くなってしまうまで、どれほどの苦痛を耐えてきたのでしょうか。

三部

十五夜の月に

シカを捕まえるって？

「母さん！　シカを捕まえてくるよ」

ヘスンがドアを開けて見ると、夫と子どもはもう畑のうねの間を伝って、山の方に登っていた。雨が降った後には、冬の山からシカやウサギが餌を探しに下りてくる。山里にあるヘスンの家には門がない。玄関のドアを開ければすぐ目の前に畑が広がっているが、夜の間に雪の積もった畑に何かがフンを残していった。それがシカのフンだということがわかってから、夫と子どもは退屈になるとシカを捕まえてくると言っては、後になり先になり山に向かうようになった。山から下りてくるのは、シカやウ

サギだけではなかった。夏はイノシシが庭先にまでやってきたし、決まってつがいで行動するアナグマが、のそのそと縁側に上がって去っていくこともあった。この間降った雪がとけずに残っている上に、また雪が降り積もり、四方はどこも真白な銀世界になっていた。雪の上でふざけながら遠ざかっていく二人を眺めていたヘスンは、やがてドアを閉めてしまった。

三年前に帰農という名分でこの村にやってきたのは、子どものためでもあった。他の人たちは早期教育のために、子どもたちをカナダやアメリカや中国に送るというが、ヘスン一家はこの山村に来た。学校でいじめに遭っていた子どもが登校拒否になりそうになった時から、夫は帰農を考えて二年の間ヘスンを説得してきた。初めは帰農なんてと思っていた彼女も、夫の熱心な説得と、この村のフリースクールで子どもを勉強させることができるということで、ようやく提案を受け入れることになった。ただし条件があった。一週間のうち水曜から土曜までは彼女がこれまでしていた仕事ができるように、ソウルに行くことだった。彼女は「モムコル〔体つきという意味〕」という名の体型矯正ショップを運営していた。それは年を取るにつれ変形していく首の後ろや背中、腰、あるいはひざの痛い人々のために、物理療法をするところだった。ソウルといっても都心からはちょっと離れた、ひっそりした町の端にあったため顧客はそれほど多くなかったが、七、八年の間通い続ける固定客はかなりいた。すでに帰農を心に決めていた夫とともに、何度かこの村に足を運んで調べてみたが、ソウルでの仕事を辞めて帰農するのには無理があると考えた。長い間続けてきた仕事をすべて整理してしまうのが心残りでもあったし、帰農するといっても農作業をしてただちに収入が得られるようには思えなかった。快諾したわけではなかったが、夫も彼女が一週間の半分をソウルに行って、今までの仕事を続けることに同意した。そうしてこの村に住み始めてから、最初の頃は水曜の朝早くソウルに向かい、土曜日に列車に乗って帰ってくる生活が続いた。とりあえずは家族が食べられるだけの農作物を収穫しようとするだけだったが、これまで経験のなかった二人が春に種を蒔いて、秋に収穫する作業は大変な仕事だった。いくらやっても終わりのない作業がすぐに滞ってしまう。そのうえ、水曜日になると妻がソウルに行ってしまうので、夫にとってはさらに大変なことになる。そうなってみると、水曜からソウルに行っていたのが木曜になり、最近では金曜に行って日曜の朝に帰ってくるようになっていた。共同運営していた友人が事情を理解してくれ、長い間通っている客も、彼女の時間に合わせて来てくれるようになったから可能なことだった。

ところが今年の春に二日間腰をかがめ続けて植えた大豆が、いざ収穫してみると中身が空っぽのサヤばかりだった。がっくりしたのはヘスンも同じことだったが、それを口実に夫は、彼女がソウルでの仕事を完全に諦めてくれることを望んでいた。農作業に専念できないから、三年経っても何の進展もないというのだった。間違ったことを言ってるとは思わなかった。専念していたとしても、まだまだ学ばなくてはならないことが山ほどあるのに、彼女の生活の半分はソウルにおいているから、農作業はほとんど夫が一人で引き受けてきたことになる。七五キロあった夫の体重は六五キロになり、手は荒れ、顔は真っ黒になって皮膚もガサガサになってしまっていた。彼女にしても、生計が立つかどうか考えずに、ともかく帰農することばかり考えていた夫が恨めしかった。ヘスンの仕事は人の体を扱うことだった。その瞬間は治療に完全に集中していなければならないし、普段の勉強も怠ることはできなかった。二つのことを並行してやっている自分の助けになることができないのなら、せめて黙って何も言わないでいるとか……夫に対する不満が喉元まで出かかった。遊びに行くわけでもないのに、ソウルに行こうとするたびに、夫の顔色をうかがうようになると、それまでしたことのなかった夫婦ゲンカもするようになった。今ごろはソウルにいなければならない時間なのに、朝から夫とソウル行きのことでケンカして、行くのを諦めてしまったところだった。胸の中は今にも爆発しそうになっているのに、子どもと夫はあっけらかんとシカを捕まえに行くと言って出ていった。

今からでもソウルに行ってみようか。山里の家に一人座っていたヘスンは服を着替えて庭の方に出ていった。予約してあった客にいちいち電話をかけて、今週はソウルに行けそうにないと話したところだ。最近はこんなことがしょっちゅう続いて、客に電話するのも申し訳なかった。

「どこに行くんだい」

隣の家とはいっても、しばらく歩いていかなくては顔を合わせることもない隣家のおばあさんが、庭に埋めた甕から大根を取り出しながら通りかかった彼女に話しかけた。おばあさんは一人で食事するのが寂しくなると、ご飯茶わんを手にヘスンの家にやってきて、食卓の一角に座りこむこともあった。

「ソウルですよ」

「ソウルには蜂蜜の壺〔人を誘惑してやまない物の比喩〕でもあるのかね」

お金の壺があるんですよ。彼女は心の中で自嘲気味につぶやいてクスッと笑った。この村に住むのは決して嫌ではなかった。何より子どもが、ここの学校では一日中友だちと仲良く遊んで過ごせた。ソウルにいた時は目を合わせる暇もないくらい忙しかった父親とも、父子というより長男と末っ子みたいにして楽しく暮らすようになっていた。数日前も雪そりを作っていたと思ったら、二人は凍った田んぼで陽が沈むまでそりで遊んでから帰ってきた。憂鬱《ゆううつ》に沈んでいた子どもの瞳が今はキラキラと輝くようになった。ヘスンがお金の心配をするそぶりを見せると、大きくなったらクッキーを焼いて売るから心配しないでと子どもが言ったりもする。お金はソウルで稼いできて、暮らしはここですればいいと思っていたのに、それもだめだって言うんだから。歩きながら思いに沈んでいると、目の前に雪がちらつき始めた。また大雪になりそうだった。

去年の冬、ソウルから帰ってきた時のことだった。車で駅に迎えに来てくれた夫と子どもと一緒に夜道を家に戻る途中、村の入り口に一頭の死んだシカが道に横たわっていた。車にひかれたようだった。その死んだシカを見ただけで怖くて逃げ出した夫と子どもの姿が思い浮かんだ。何よ、それなのにシカを捕まえてくるって？　帰農した年にソウルから弟たちが遊びに来た日、生まれて初めて鶏を二羽、自分の手でしめてから、半月の間寝こんでしまった夫だった。ソウルに行こうとした彼女は、きびすを返して再び山里の家に向かった。一日中凍りついていたその口元に笑みが戻り、足取りは速くなっていた。

雪は明日まで降り続きそうだった。

人生修行

朝早く目をさましたNは、すぐに起き上がってティーテーブルに置かれたポットの水をコップに注ぐと、一口含んでホテルの洗面台に向かった。水の入ったコップを手に持ったままだった。口の中で水をブクブクしてから吐き出すのを何度か繰り返してから、鏡に映った自分の顔をぼんやりと見つめた。マスカラが滲んで目の周りはパンダのようになっていた。顔も洗わないで寝てしまうと、朝になっていつもこんなふうになる。寝ながら泣いていたんだろうか。黒いシミのようになった線が、両頬を伝って右側は唇まで、左側は鼻の下までつながっている。コップを置いてティッシュを濡らし、拭き取ろうとした時、急に吐き気がしてすぐに便器に顔をくっつけるほど近づけ吐く準備をした。結局何も出てこなかった。立ち上がってもう一度コップを手にすると、口をゆすいだ。そうしたからといって、一度食べたものを食べなかったことにはできないのに。今にも泣きそうな顔になったNは、パンダ顔の自分の目をじっくり覗き見た。ホテルのロビーで一行に会う約束は八時だった。急がなくてはならなかった。

＊

この国ではあらゆるものを食べ物にしてしまうという話を、前から聞いて知っていた。その通りだった。どこの街角にも露店が並び、前を通り過ぎる時にあの材料はいったい何なのかと思うような食べ物が、山のように積まれていた。放送局のプレスセンターで仕事をしているNは、世界の食べ物を紹介する番組の放送作家という資格でこの国に来て何日かの間、味めぐりをしているところだった。初めは彼女も美味しいと思って、二日くらいは無理なく食事を続けた。だがそれが限界だった。脂っこい料理を食べ続けたせいで、お腹の中がぐるぐる回り、ひっきりなしにトイレにかけこむ羽目になった。腸にトラブルが起きた時にまずしなくてはならないのは、脂っこいものを絶つことだった。食の宝庫と言われる国に来て、食事のたびに一人カップラーメンにお湯を注いで食べたり、パックご飯を熱湯に漬けて温めてから、ミニパックの味付け海苔でご飯を包んで食べていると、一行は、こんなに美味いものを自分たちだけ食べて申し訳ないという表情をし、彼女に片思いのチョン・ディレクターは気の毒そうに彼女を見ていた。

一行は、番組のテーマが食べ物だということで、食事の時間になると、この国でも特に風変りといわれるものを探すのに夢中になった。話にだけ聞いていたムカデを実際に油で揚げるのも見たし、コオロギを串にざっくり刺してタレを塗り、焼いて食べるのも目にした。今にも毒が吹き出してきそうな真っ黒なサソリが、トレイの上でうごめいているのも目撃していた。他の人たちが楽しそうに見物したり味に舌鼓を打っているのに、自分一人興ざめているように見えるのが嫌で、むかついてくると隅の方に行って胸をさすったり、朝ホテルで準備してきたポットのお湯を飲んでは胃をなだめるようにしていた。ここに来て気づいたのは、人間には食べられないものがないということだった。だが同時に、なぜそんなものまで食べなくてはならないのか、という嫌悪感がふつふつと湧いてきた。いずれにしても、彼女は美食家たちの憧れの国に来て、お腹に強烈なダメージを受けていた。ありとあらゆる虫たちが食材に変わるのを目撃するたび、お腹をこわしたことが幸いして正々堂々と食べずにすむのがありがたかった。サナギくらいは一度食べても大丈夫かと思ったものの、大陸産のそれは異様に大きく、口に入れることもできないまま箸を下ろしてしまった。その日は仕事を終えて帰国する日だったから、前日のことさえなかったら変なものを口にすることもなく、無事に帰路についていたはずだった。

昨夜の食事は今回の旅で最後の晩餐だった。自然と打ち上げのような雰囲気になった。皆彼女のために、ラストディナーはNもよく知るこの国の庶民的なメニューを用意すると言っていた。そんな一行の気遣いが彼女にはうれしかった。初めの二日間に食べた料理のせいでお祭り騒ぎを起こしていた胃腸の調子も、数日の間地元の料理を避けていたおかげで、ある程度落ち着きを取り戻していた。皆、満足げに盃を交わし、わずか数日のことだったが、一緒に過ごしながら取材し撮影してきた料理の話で盛り上がっていた時だった。食堂の店員が最後の料理だと揚げ物を運んできた。揚げたてのように湯気の立ち上る料理を誰もがひとつずつつまんで手にした。彼女はそれをじっと眺めていた。これまで出されたものは、それがどんな材料で作られたのか、大体見当がついた。ところが衣がついているせいで、その揚げ物の中身が何なのかわからなくて、他の人たちのようにすぐに手が出せなかった。ためらっているとチョン・ディレクターがナプキンで包んで目の前に差し出した。チキンの首の骨のように、丸く長いものだったから、まさか虫などではないだろうという気がした。隣に座った撮影監督が彼女に酒を注いでくれた。この国の名酒中の名酒だと言った。名酒とはいっても度数が五二度もあった。一口飲むとお腹に火がついたようで、あわてて揚げ物にかぶりついた。特に変わった味はしなかった。良い油を使っているのか、衣はサクサクして、揚げたての熱さで食感も悪くなかった。ほとんど食べ終わろうとする時だった。

誰かが、何を揚げたものだろう、こんなにサックリとしているのは、と言った。誰も知らないようだった。すると皆がいったい何なのかと口にしながらもうひとつずつ手にとった。通訳が店員に揚げ物の正体を尋ねたようだった。どんな答えが返ってきたのか、通訳はすぐに彼女の顔をうかがった。

「何ですって?」

「……」

「何て言ったのよ」

「それが、あの……つまり……ヘビだそうです」

*

Nが荷物をまとめて下りると、チョン・ディレクターが一人で下りてきていた。彼は彼女の顔を見ると、申し訳なくてどうしたらいいかわからないというふうで、笑うこともできず、すぐに荷物をその手から引き離すように持った。

「朝食も食べられなかったんだね」

いかにも親切そうに揚げたものをナプキンに包んで渡してくれたのは、この男だったのだ。

「昨夜はほんとにゴメン。僕も知らなかったんだ。知ってたらあんなふうにしなかったよ」

彼女は誰かを探すふりをして彼を無視しようとした。話したくもなかった。

「だけど……昨夜のことは必ずしも悪いことだけではなかったと思うんだ。もしかしたら大きなプラスになってくれるかもしれない。まだ僕らは三十になったばかりなんだから。これからどんな事が待ち受けているかは誰にもわからない。でも、苦しいことがあったら、こう考えたらいい。自分はヘビだって食べた女なんだからって」

彼は真剣そのものだった。何だか、一晩中考えていた言葉のようにも聞こえた。

「ヘビだって食べたというのに……自分にできないことがあるものか。こう考えることができたら、君はこれから何だってやり遂げることができると思う。そう思わないか？」

さっきまで彼の足でも思いっきり踏みつけてやらなくては、うっぷんを晴らせそうもないと思っていた彼女は、思わずプッと吹き出して耐えきれないようにその場にしゃがみこんでしまった。

そうよ、私はヘビだって食べた女よ！

私が子どもだった頃も

娘が突然ドラムをやりたいと言った時は、正直、聞き違えたのかと思っていた。娘とドラム？　想像ができなかった。何しろ娘はまだ高二だった。本格的に入試の準備をしなければならない時期だ。理性では娘を刺激してはならないと思った。そう自分に言い聞かせていたのに、思わずかっとなって大声で叱ってしまった。

「ドラムを始めるって？」

「うん、ドラム」

「あんたが？」

「そうよ」

「何でまた、いきなり」

「いきなりじゃないの。ずいぶん前から私、ドラマーになりたいと思ってたの」

「いつから」

「ずっと前からよ！」

まったくあきれるしかなかった。ずっと前からドラマーになりたかったというのに、どうして母である私が今初めて、娘の口からドラムという言葉を聞くことになるのか。その日から娘はドラム、ドラム……そればかり口にするようになった。とうとう学校でバンドを結成するから許可して、とまで言い出した。頑強だった。以前は私がこらしめのムチさえ手に取ると、とりあえずは自分が悪かったと謝っていた娘が、母が落ちこんでいるように見えると、母さん、元気出してと慰めてくれた娘が、ただドラム一点張りだった。自分は勉強よりドラムが性に合っていて、いつかドラマーとして成功する自信もあると言うのだった。娘は勉強がよくできた。何もなければ、このまま素直に言うことを聞いてくれていたら、期待通りに法学部に進学し、司法試験に合格して私が果たせなかった司法の道に進んでくれるはずだった。今まで娘は従順だった。母の目には法曹界こそが彼女に相応しく見えた。周囲の状況を把握するのに長けて、感情におぼれることもなく、物事の判断にあたって適切な選択をしたし、同年齢の子どもに比べてしっかりしていて、合理的に他人の話にもよく耳を傾けることができた。私の願いとしては、将来、国際弁護士になってくれたらと思っていた。それなのに突然、ドラマーになりたいなんて。

娘はすっかり頑固者に変身してしまった。同じマンションで同じ塾に通う子どものいる母親が交代で塾への送り迎えを担当していたが、私が当番の日には絶対塾には行かないと言い張って、自分の意思を貫こうという覚悟を見せつけようとした。塾に行く代わりにドラムを習わせてほしいと言うのだった。はらわたが煮えくり返りそうになった。塾に行く時間だといくらせかしても、ベッドで寝ころんだまま着替えるそぶりも見せず、顔を天井に向けたまま目をつぶっていたり、こちらに背を向けて横になっていた。娘がそんな態度をしているからといって、自分の責任を果たさないわけにはいかなかった。娘の機嫌をとるようになだめたあげく、他の家の子どもたちだけ車に乗せて塾に送って行った。帰ってきた私はついに堪忍袋の緒が切れて、手を出してしまった。頬っぺたを張られた娘は母親をきっと見すえた。一発殴られるくらいは何でもないという態度だった。子どもが親のムチを恐れなくなったら、その時はもうなす術がないと言った友人の言葉が、実感できるような気がした。彼女はほとんど哀願するような親の言葉にも、本気でそんなことしようと思っているのかという脅し文句にも、最後には頬を殴りつける暴力を受けてもひるむことなく、ドラマーになるという言葉を引っこめることはなかった。

やむを得ず、ドラムは大学に入ってからやっても遅くないんじゃないかと妥協を試みたが、娘は時間を浪費する必要はないと突っぱねた。勉強する代わりに、今からドラマーとしての実力を磨いて、すぐにその道に進んでいくというのだった。将来を決めたのに遠回りしなくちゃならない理由がどこにあるのかと、むしろ母親を説得しようとした。その瞬間、私は娘に、かつては娘だった頃の私に母親が言った言葉、

「いいかい、あんたがいつか今のお前と寸分違わないそっくりの娘を産んで、育てて

みればいいよ！」

　という言葉まで大声で叫んで、居間の床にぺたりと座りこんでしまった。

　母娘の舌戦は夫が会社から戻ってくるまで続けられた。夫は、娘の急変した態度を説明しながら何か言ってやってほしいと訴える私に、時間が経てば元に戻るからあまり責めるなと言う。会社から帰った夫の顔を見るなり、涙をこぼして座りこんでしまった母親の姿を見ても、娘は身じろぎもしなかった。

「こんな子だとは思わなかった……」

　見かねた夫が、娘の手をつかんで部屋に引っ張っていっても、後から後からあふれる涙が止まらなかった。娘の部屋からはしばらくの間、夫の上げる大声が聞こえてくるばかりだった。普段娘を叱ったことのない父親の気勢に驚いたのか、私の言うことにはいちいち反論していたのに、何も言えないでいるようだった。夫の言葉をじっと聞いているような様子に、ひょっとしてという期待がわいてきた。いつの間にか涙もおさまり、娘の部屋の前に立つと中から聞こえてくる声に耳を傾けた。ところが父親の説教を黙って聞いていた娘は、それ以上がまんができなくなったのか、私に対するのと同じように大声で口答えを始めた。

「父さん！　今までずっと私のことに無関心だったのに、今になって急に何よ」

「父さんがお前に無関心だったたって。馬鹿を言うな。ちっちゃな子どもみたいに、いつまでだだをこねてるんだ」

「じゃあ、気にしてたっていうの？　それなら私の親友の名前を一人でも言うことができる？」

そうきたか。父娘の対話を聞いていた私の口から自然にため息がもれた。黙って言われるままになっている娘ではなかった。娘の奇襲攻撃に夫も言葉をなくしたのか、部屋は静まり返った。返す言葉が見つからない夫の顔が目に浮かぶようだった。だが、すぐに反撃が始まった。

「何だと。だったらお前は父さんの友だちの名前を知ってるのか」

へぇ、あの人もなかなかやるじゃないと、娘に対して溜飲の下がる思いに浸ろうとした瞬間、耳を疑うような言葉が聞こえてきた。

「あたしが知らないと思ってるの」

「誰だよ」

「キム・チュンホおじさん！」

ああ、夫の大学時代の友人のキム・チュンホさん。彼は私よりも夫のことをよく知っている、夫の人生のパートナーと言ってもいい人だった。夫は私にも言えないようなことまで、何でも彼に打ち明けていたみたいだし、私とケンカした後だって、まず相談するのはキムさんだった。それなのに娘がどうして彼の名を知っているんだろう。その時ふと、娘がずいぶん前からドラマーに憧れていたかもしれないと思った。ただ私がそれを望まなかったから、わざと耳をふさいでいたのかもしれないと。勢いよく娘の手を引っ張って部屋に入っていった時とは別人のように、気落ちした姿で出てきた夫を見ながら、私もまた気の抜けたようになって、居間の床にへたりこんでしまった。

Yがどうしてタバコをやめたか知っている人は？

男の人たちは会うと決まって軍隊かサッカーの話をするっていうけど、私が知っている男性たちはどうしてそういう話をしないんだろう。ひょっとして彼らはそろいもそろって軍隊に行ったことがなく、サッカーボールも蹴ったことのない人たちなのか。時々そんなふうに思うことがある。誰かが私に、その人たちが話をしないんじゃなくて、私が聞かなかっただけだろうと言った。この世にその手の話をしない男がいるはずがないと言いながら。同じ席にいるのに、どうやったら相手の話を聞かないでいられるのと聞き返したら、いられるわよ、特にあんたの場合は、と即座にやり返された。

いつも友人たちと一緒にいても、自分の世界に入りこんで考えにふけってしまうことがある。するとたった今話していたことを、何だってと聞き返す始末だから、そう言われても反論できないのだった。

そんな私が作家Kの写真を撮りにいった時に、軍隊の話でもサッカーの話でもなく、タバコの話を聞かされた。経済の本を出してベストセラー作家の仲間入りを果たした彼と、その友人たちが一緒にいる写真を撮ることになっていた。彼らが集まって自然に談笑している写真を撮ろうと思っていたから、特別なポーズを望まなかったし、ビアホールで彼らが集まって話に花を咲かせている姿を、少し離れた所から眺めていた。そうやって待っているうちに、自然にシャッターを押したくなる瞬間がやってくるものだ。

快活そうに見えるKが、皆が集まったところで口を開いた。

「最近になって、タバコをやめたんだけどな。医者が絶対にタバコを吸うなと言うから……もう五年も聞かされてきた言葉だったけど、今度はちょっと本気なようだったし。でも、普段からタバコも酒もやらない人間に対しては、医者は何て言うんだろう。

吸うなとか、飲むなとか言う代わりに、いったい何て言うのか知りたいもんだよ」

「お前がタバコをやめたって？」

Kの友人たちが一斉にその顔を見た。

「やめたことはやめたけど、さていつまで続くものやら。昨日はこんな夢を見たよ。最近は電話ボックスなんて見かけないだろ。だけど何かの用事で俺が道端の電話ボックスに入ったんだ。電話をかけに入ったはずなのに、どういうわけかボックスの中にはタバコの箱がぎっしり詰まってるじゃないか。誰かが見てるかと思って、あわててポケットにそのタバコをつっこもうとして目が覚めたんだ」

友人のPが、そういう時は何だかやるせなくないか、と尋ねた。Kは力なく、そうだな、と答えた。Pは深刻そうな面持ちで言葉を続けた。

「俺も一日二箱も吸ってただろ。夜、何かやろうとする時、タバコがないと何も手につかなかったよ。タバコをやめろってことは、仕事をするなってことだったんだ。だけど、がんセンターで検査を受けたら肺が弱ってるって言われた。がんにかかるとしたら、肺がんになる可能性が高いって。そう言われてからはもう吸えなくなっちまった。一晩に二箱も吸いきることもあったから、明け方見ると、もう箱が空になってた。灰皿をほじりだしてみても、ほら、吸いながらがくすぶらないように灰皿に水を入れるじゃないか。だから吸いながらが全部水浸しになってる。それを見ると、何で水なんか入れてしまったのかと思ったけど、後悔先に立たずってやつだ。そんなだった俺がタバコをやめるとはね。でもいまだに夢は見るんだ。やめてからもう二年になるってのに、タバコの夢を見るんだ。夢の中でタバコに火をつけて、口にくわえて煙をスーッと吸いこむ。いやぁ、その味といったら！　それを口の中で感じた瞬間、自分は結局タバコがやめられないんだな、と挫折感に浸りながら突然夢から覚めるんだ。ああ、夢だったのか。虚しくもあり、一方でホッとする思いに茫然としたまま、闇の中でぼんやりと座りこんでいることもある」

Kを始めとして、友人たちが皆、Pの話をそういうものだろうなという目つきで見ている時、私は立ち上がってシャッターを押そうとしたが、指が止まった。Kが主人公なら良かったが、その時話の中心はPだった。彼らの話を聞きながら、長いつき合いの友人Cのことを思い出していた。Cもまた愛煙家だった。ある年の秋夕《チュソク》〔陰暦八

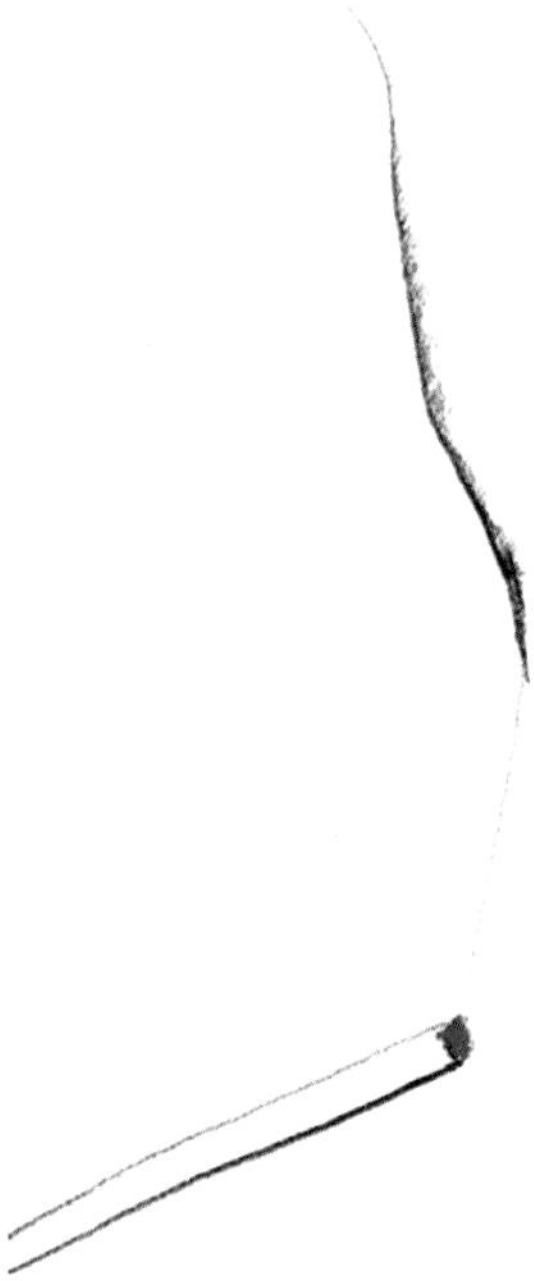

月十五日」の前日に、何もすることのなかった私はCと、別の友だちのDの家で一晩一緒に過ごしたことがあった。本を読んだり、音楽を聴いたり、風呂にも一緒に入ったことを覚えている。私がにらみつけているのを気にもとめず、タバコ好きのCは始終タバコを手から離さず、口にくわえ続けていた。明け方に手持ちのものが切れると、タバコを買いに一緒に出かけようと私を誘った。そんな時間に売っている店があるとは思えなかったが、あまりにも寂しそうにしているから、つい一緒につきあうことにした。Dの家は三清洞にあったが、光化門《クァンファムン》まで行っても買うことができなかった。秋夕の朝が明けようとする黎明の街を、タバコを求めてさまよい歩いた、そんな時があった。

Kはもう一人の友人Bを見た。

「B、来年、アメリカに行くって言ってたけど、タバコはやめてからの方がいいぞ。何たってタバコを吸う人間にとっては住みづらい所だから」

KとPの話を聞いていた彼の顔がこわばった。

「確かに、自分が喫煙者だって言ったら、学校にはタバコを吸える部屋がないって言われたよ。部屋代が半端じゃないってのに。他に部屋を探すことになったらどれだけ金がかかるか……。ともかくあっちはタバコを吸う人間は伝染病患者扱いだから。吸いたくなったら決められた場所に行かなくちゃならない。たいていはトイレの前にあるらしいが、用を足す奴らを横目に、トイレの臭いをがまんしながら吸わなくちゃならないなんてな。変な所で吸ってて見つかったら、罰金がこれまた目の飛び出るほどだときてる」

Bはストレスたっぷりという顔で、タバコを取り出して口にくわえた。

「だから、禁煙しろって」

「吸えるうちに吸ってから行くさ」

「今からやめておかなくちゃ。出発のひと月前に急にやめられるか。それは無理な相談だって」

Bの表情が次第に歪んでいくようだった。

「三年前に一度やめたんだけど。その時は夢を見るなんてもんじゃなかった。生きる楽しみもなくなって。やめてからというもの、朝目を覚ますと、もう吸えないんだと思って落ちこんでしまう。そんな症状がだんだんひどくなっていったから……とうといたたまれなくなった女房が、そうやってうつ病に苦しむくらいなら、いっそのこと吸いなさいよって言うからまた吸い始めたんだ。だからタバコをやめる自信はまったくないね」

その時だった。それまでずっと黙って彼らの話を聞いていたYが、いぶかしそうな表情をしながら、椅子の背にもたれかかった。

「お前らの話を聞いてて思ったんだけど、俺はいったい何でタバコをやめたんだろう。医者に言われたわけじゃないし、肺も健康だし、来年アメリカに行く用事があるわけでもない。どうしてやめたのかな。ひょっとして俺がタバコをやめた訳を知ってる奴はいないか?」

ひとしきり、タバコの話で盛り上がっていた男たちの間に、突然沈黙が流れた。Kはビールのコップを手にし、Pは手のひらで顔をさすり、Bは頬づえをついた。シャッターチャンスを待っていた私は、すぐさま席から立ち上がった。

サンチュの種を蒔かなくちゃ

姉さん。

やっとメールの返事を書きます。

今日はまるで春みたい。陽ざしも明るいし、そよぐ風もすっかり柔らかくなって。姉さんが可愛がってくれる娘のビニがようやく口にし始めた言葉みたいに、その意味はまだ聞き取れないけど、目元、口元が思わず持ち上がってしまうような、新鮮な心地があふれてくる日曜日の朝。ちょうど今、ビニが私の膝の上にはい上がろうとしてる。

「オンマ〔母さん〕、何してるの？」

と聞くから、

「おばちゃんにお手紙書いてるの」

そう答えたら、おばちゃん……おてがみ……おばちゃん……おてがみ……とモグモグ言いながら、部屋にいるお姉ちゃんのところに行ったわ。コンピュータの前に座ってメールを書いてる私には、いくらだだをこねても通じないって、今はわかるみたい。言葉が上達したのかって？　そうじゃなくて、メールに書けばこんなふうになるけど、「オンマ」って言う時も舌足らずに「オマ」だし、「何してるの」も「ナンテンノ」よ。「おてがみ」だって「オテアミ」だしね。たったひとつだけ正確に言えるのは「オバチャン」ていう言葉だけ。だって姉さんが電話してくれれば、洗脳でもするみたいに、

「わたし、オバチャンよ。オバチャン。ほら、言ってごらん」

って言うじゃない。そのたびにちっちゃいビニが
「オバチャン……オバチャン」

とまねして口にするだけだったのに、昨日は突然、

「オバチャン《イモ》……キレイ《イポ》」

なんて言うじゃない。急に姉さんのこと思い出したみたい。

母さんの様子を知らせようと思ってメールボックスを開いたのに、私ったらビニの話ばっかりして。姉さんを前にしても、もうすっかり、ビニの母親でございますって気分になってるのね。


母さんは一週間前に無事に手術が終わったの。この前姉さんと電話した時その話はしたわよね。そうだ、姉さんと話してた時、まだ母さんは手術室から出てきてなかったっけ。朝八時半に手術室に入って、あの時の電話が確か午後五時だったじゃない。その時間になっても回復室には戻ってきてなくて、本当はハラハラしながら待っている時だった。母さんは全身麻酔なんてしたことなかったでしょ。考えてみたら、それまで本当に健康だったのよね。手術室なんてまったく縁がなかった人だったから。姉さんは、母さんは年が年だから手術なんて無理だってずっと止めようとしたけど、本当は去年のうちに手術をしなければならなかったのよ。だけど去年は父さんが足の手術をしたでしょ。母さんは父さんのことを第一に考えて、自分のことは後回しにしてがまんしてたの。母さんが訳もなく怒り出したり、身の上を嘆いたりしていたのも、そのせいだったのよ。私だって母さんの年を考えたら、手術に耐えられるか心配だったってこともあったけどね。この間病院に連れていってレントゲンを撮ってみたら、これ以上後回しにすることはできない状態だった。最近何だかすごく痩せてしまって、ひょっとして背中にがんでもできたんじゃないかって心配してたわ。母さんには内緒にしてレントゲンを体中撮ってみたんだけど、幸いなことに心配は当たらなかった。脊椎にちょっと問題があったけど、腰の骨が変形してしまってそれがしょっちゅう、神経をつつくから仙骨やら、脚にまで痛みがくるんだって。初期のうちなら矯正することもできたけど、あまりにも遅かったから複雑になってしまったとも言われたわ。母さんはいつも足の裏に錘《おもり》でもぶら下げてるみたいに、足が重いし痛いって言ってたものね。それにこの頃は二十分も歩けなくて、すぐにバタンと倒れたりしてたし。

ドイツに住む姉さんに、あれやこれや事情を細かく説明しても、心配させるだけじゃないかと思って、あまり詳しい話はしてこなかったの。母さんもいよいよつらくなってきたのか、先延ばしにしてきた手術の話を自分から持ち出してきた。よほどのことでなければ、そんなこと言うような性格じゃないのにね。そうして手術の日取りを決めることになったけど。手術の前の日のことを思い出すとぞっとするわ。誓約書を書く時に看護師がそれは恐ろしい話をするのよ。麻酔から覚めないこともあるとか、歩けなくなることもあるとか、最悪の場合は死亡することも……なんて。私はあんまりだと思って、看護師の脇腹をつついたんだけど、新人の看護師だったのか、患者の前で口にするのはどうかと思うようなことまで話し続けるじゃない。たまりかねて後でその看護師にきつい言葉で文句を言ってやった。親族には何を言ってもいいけど、ただでさえ手術を怖がっている患者に対してあんなこと言ってもいいのかって。すると病院の規則がそうなっているからとずいぶん事務的な言い方だった。ともかくそう言われた母さんの気持ちを考えてみてよ。やっとのことで決心した手術をやめた方がいいかなって言い出したと思ったら……急に、私の耳元で秘密でも打ち明けるみたいに母さんの指輪とか、通帳がどこにあるか教えてくれたり、ミンクのコートは姉さんにあげる約束になっていたから、必ず約束を守ってやってと念を押されたり。

結局翌日、手術室に入っていったんだけど、予定より三時間も長引いてしまった。母さんが年をとっているせいか、人口骨を接合する時トラブルがあって、手術の途中に別の処置をすることになったみたい。姉さんから電話があったのは、その時だったと思う。手術はうまくいったかって聞かれたけど、まだ手術室から出てこないなんて言ったら、姉さんの気持ちも穏やかじゃなくなると思ったから、無事に終わったって言ったのよ。電話を切ってから手術が終わるのを待っていた時、ああ、神様なんて信じない私が自然にお祈りの言葉を唱えていた。仏様にもイエス様にも約束したの。無事に手術が成功しさえしたら、お寺にも行くし、教会にも通うからって……だから、どうかご慈悲を、恩寵をお授けくださいって。

母さんが手術室から出てきて、回復室に移されたとたんに、緊張が解けたせいかその場に膝をついて座りこんでしまった。

それから一週間が過ぎた。

その間に母さんはずいぶん回復したわ。手術をした先生が母さんの手をぎゅっと握ってありがとうって言ってた。よく耐えてくれてありがとうってね。私に向かっても、お母さんが医者の体面を守ってくれようとして頑張りぬいたんじゃないかなんて、お礼を言ってくれた。それとなく先生も、母さんの手術に不安があったことを言おうとしたんじゃないかしら。だから誓約書を書く時にあんなに念を押したのかもしれないって思った。今はもうご飯もよく食べるようになったし、顔色もすっかり良くなった。横で助けてあげれば、少しずつ何度も体の向きを変えながらだけど、ベッドから起き上がって、病院の廊下をゆっくり歩くこともできるようになったわ。気の持ちようなのか、それとも手術の効果が早くも現れてきたのか、足の裏に錘をぶら下げたように重いと言っていたのが、嘘のようになくなったとも言ってたし。早く治って家に帰りたいと思っている母さんは、先生が回診に来てここが痛いでしょ、と聞いても、いいえ、ちっとも、何ともない、なんて言ってるの。昨日なんか、ともかく早く退院したがる母さんに、先生が退院しても三か月間は腰を曲げたり、座ることはできないと言うから、がっかりした顔で、

「サンチュの種を蒔かなくちゃならないのに……」

なんて言うから、みんなで笑ってしまったわ。

姉さん、もう母さんのことは心配しないで、自分のことだけ考えて。だけど、母さんのミンクのコート、いつの間に姉さんがもらうって約束したの。まったく抜け目のないこと！　今日はこれくらいにするわね。母さんが肉味噌を作ってほしいと言ったから。病院の中にあるスーパーで、キュウリや青唐辛子なんかは売っているみたいで、付き添いさんに買ってきてもらって置いてあるんだけど、食べる時につける味噌がないって、今朝電話があったのよ。肉味噌を作って、ビニと一緒に母さんの所に行ってこなくちゃ。

じゃあね、姉さん、また今度書くわ。元気でね。

エスプレッソ

この頃彼が、一日のうちで一番楽しみにしている時間は「エスプレッソ」という名前のコーヒー店に、コーヒーを飲みに行く時だった。その店は以前、彼が住んでいた家だった。自分が代表を務めていた会社が不渡りを出して、持っていた財産の中で最初に競売にかけられたのが、その家だった。その後何度か持ち主が入れ替わった。この春には大々的な改修をやっていたと思ったら、その建物は二つに分けられ、通りに面した方はコーヒー店に、裏の方は庭のあるイタリアン・レストランになった。レストランには一度行ってみたが、ワインを無神経な作法で注いだ店員にカッとなり席を蹴って出て以来、足を向けることはなかった。ただコーヒー店には、一度偶然に訪れてからというもの、今では毎日出かけてコーヒーを飲んでいた。

店の主人は、彼と同年配に見えた。五日間連続でその店に行ってからは、主人が直接コーヒーを淹れて持ってきてくれるようになった。主人は若い頃からこんな店を持つのが夢だったと言った。それで今までずっとコーヒーとともに暮らしながら、勉強を続けてきたそうだ。夢がかなった今は、これ以上望むことのない幸せな日々を送っているとも言ったが、そのせいか主人はいつも微笑みを絶やさず、自らコーヒーをローストして淹れてくれた。誰が店員で、誰が主人なのかわからないほど、こまめに店の中を動き回った。彼は毎日、午後三時に店を訪れ、主人がローストしたり、淹れてくれるコーヒーを味わう。そして時にはどういうつもりか知らないが、焙煎していないコーヒー豆を手のひらにのせて、香りを確かめる主人の仕草を、長い間見つめたりしていた。

午後も遅くなると睡眠の妨げになるので、彼がコーヒーを飲みに行くのはいつも三時頃だった。その頃は店にも客の姿はあまりなかった。時々彼と妻のほかには誰もい

ないこともあった。一人で来たかったが、いつも妻がついてきた。何かの事情で妻が来られない時は、運転手を一緒に行かせた。彼が一人で行きたいと言うと、年老いた妻は、私も一人で行かせてあげられたらいいと思うけど、と言いながら、何か頼み事でもするように膝を少し折って、胸に手を置き彼をじっと見つめた。胸に置かれた彼女の皺だらけの手には、指輪のひとつもなかった。

若かった頃の妻は、指輪の好きな女だった。彼もそんな妻に数多くの指輪をプレゼントした。その頃は外国への出張も頻繁で、帰国前日になると時間を作って宝石店に足を運んだ。ダイアモンドやエメラルドやサファイアが埋めこまれた指輪を選ぶのは、彼にとってもひとつの楽しみだった。妻が最も好んだのは、フィレンツェのアカデミア美術館のスーベニア・ショップで買った指輪だった。フィレンツェではヴェッキオ橋あたりに、たくさんの宝石店が並んでいると聞いていたが、忙しいスケジュールに追われていた彼は、そこに行く余裕さえないような状況だった。泊まっていたホテルがアカデミア美術館の前にあって、日程に比較的余裕のあった一行の一人がダビデ像を見に美術館に行き、中にあったスーベニア・ショップで買ってきたという指輪を取り出して見せた。今は誰の絵だったか忘れてしまったが、フレスコ画に描かれた女性がはめている指輪を模して作った、青と紫が混ざった小さな水晶が散りばめられた指輪だった。妻にプレゼントする指輪を買えずにいた彼は、その人を説得して指輪を買い受けた。直接選んだものではないし、値段の高い宝石を使ったものでもなかったから、その指輪を妻に差し出した時は申し訳ない気持ちだったが、意外にも彼女はその指輪を気に入ってくれた。それからはほとんどいつもその指輪をつけてくれるようになった。彼が突然の顔面麻痺症で入院するまでは。彼が退院してから、年老いた妻はいつでも夫の顔をマッサージしてあげるために、指輪をすべて外してしまった。胸にあてた、何もつけていない皺だらけの妻の指を見ると、それ以上一人でコーヒーを飲みに行きたいなどと、わがままを言うことができなかった。

彼は今日もエスプレッソをダブルで注文した。コーヒーより紅茶を好む妻は、ミルクの入ったカフェラテを頼んだ。コーヒー店の主人がエスプレッソとカフェラテを持ってきて、テーブルの上に丁重に置いて戻っていった。彼はその後ろ姿をじっと眺めていた。妻が店の主人の動きから目を離せないでいる夫に、穏やかな視線を向けて尋ねた。

「どうしてここに来るの」

彼は妻を見つめた。

「それほどコーヒーが好きじゃなかった人が……どうして一日も欠かさずここにやってくるのかしらね」

彼は老いた妻をぼんやりした眼で眺めた。若い頃彼は会社の仕事で一年のうち半分は家に戻らなかった。若かった彼の目の前にある全世界がマーケットだった。どんなことをしても、世界中に自分の会社で生産する冷蔵庫やテレビ、自動車を売りこみたかった。それは実現できると思っていた。実際にそうなった時期もあった。その頃は食事する時間も惜しくて、車の中でサンドウィッチを頬張ってすませたり、寝る間を惜しんで飛行機の夜間便で目的地に向かうことがしょっちゅうだった。ホテルのレストランの店員の態度がぞんざいだと腹を立てることはなかった。人は彼を寛大だと評していたが、彼にしてみれば気持ちがすべて会社の仕事に向かっていて、店員の自分に対する態度がどうこうということを感じる余裕すらなかったのだった。その頃、今は軍医官になっている息子が、一時CDショップをやって暮らしたいと言ったのに失望して、しばらくの間息子の顔も見なかった時期があった。若者の夢がそんなものでしかないのかと、理解できなかった。面と向かって叱りつける値打ちもないと思って、頭から無視することにしたのだ。

「お前はどうして指輪をしないんだい」

妻がなぜ指輪をつけないのか知らないわけではないのに、そう尋ねた。

「誰があなたに質問していいって言ったの。私の聞いたことに答えなさいよ」

老いた妻が微笑みながら彼を見た。彼は妻の視線を感じながら再び、店の主人を目で追った。髪の毛に白いものが混じった主人は、厨房に入るとゴミの詰まった箱を持って出てきた。そしてそれを今度は別の袋に移し入れた。床に落ちたコーヒーを挽いた滓《かす》を掃き寄せて袋に入れ直すと、主人は額の汗を拭った。ゴミのぎっしり詰まった袋を持ち、道の向かい側にある収集用のボックスにそれを捨ててから、タバコを一服ふかしながら青い空を見上げているのが見えた。

「あの人を見ていると、こんなコーヒー店をやりながら生きていくこともできたのかなって……そう思えるからだよ」

じっと夫を見つめていた妻が彼の手をそっと握りしめた。世界を相手に生涯ずっと駆け回りながらついには挫折してしまった、今は麻痺の進行する体でコーヒー店に座っている彼の手を。

四部

つごもりの月に

や～らなきゃ帰ると思うてか～
そ～う言えばくれると思うてか～

僕はKが無口な人だと思っていた。詩を二十年くらいやってきたKと二十三年小説を書いてきた僕とは、お互いに相手を知らないとは言えない間柄だった。彼は詩人でもあったけど、教師の職を解雇されてまた復職したという経歴も持っていた。彼とそれほど親しく付き合ってきたというわけじゃないが、自由でなかった時代を自由に生きようと苦労してきた人間だということは知っている。人生を生きる中で大きな躓《つまず》きを味わって、再び立ち上がった人間の持つ、毅然《きぜん》とした風情を彼は持っている。傷を負った者には二つの生き方があると言うじゃないか。傷つくことに耐えた後、人間というものにいっそう希望を抱くようになる者と、生きるということはそんなものだと諦めて、シニカルに変貌してしまう者と。Kは前者だと思う。人間に対する好意や善良さに対する期待のようなものを捨てることのない人だけが持つ、独特の雰囲気が彼にはあるんだ。だから彼と親しい付き合いはなくても、他の人たちと一緒にいる時に、気軽に挨拶もしたし、微笑みを交わしあったりしてきたんだと思う。

それに僕の知人が彼のことをとても慕っていた。その場にKがいない席でも、何かというとK先輩と呼んで話題にするくらいに。信義についての話をする時には決まってKが登場した。K先輩が言うにはとか、K先輩がそうしたように、というふうに。そのうちいつの間にか自分にとっても彼が大切な存在に思えてきた。ほら、自分が信じている人間が好きだという人なら、その人のことを信頼できると思うようになるって、よくあることじゃないか。

僕がKを無口だと思うようになったきっかけは、何年か前のある真冬の日、仁寺洞《インサドン》の道端で彼と出くわした時のことだったと思う。その時僕らは冬の昼日中、道で偶然出会ったことに驚いて、何だか悪いことをしているのを見つかってしまったような気分になった。それから落ち着きをなくしてぎこちない挨拶を一言だけ交わしてから、互いに眼も見ずに、それでは……と言ったきり別れてしまったんだ。こんにちはって、やっと一言言ったのも僕の方だった。僕だって誰に対しても気軽に挨拶できるような人間じゃない。おしゃべりじゃないのは、もちろんだし。どっちかというと人見知りする方で、無口な部類に属する。そんな自分でも言える、こんにちは、の一言をKは言わなかった。向かい側の街路樹をぼんやり見ているばかりで。

彼が無口だという印象を確実にしたのは、去年の夏のこともあった。フランスのある出版社の社長がソウルに来たので、韓国の出版社が何人かの作家と食事の席を設けたんだ。Kも僕もフランスのその出版社から本を出したことがあるという縁でその席に呼ばれていた。そうそう、Kは詩人であるだけでなく、一度読みだしたら最後まで目が離せなくなるくらい面白い童話を書いて、フランスで賞までもらったこともあった。その賞の名前がずいぶん洒落ていたけど、覚えていないな。お月さん、あんたも一度読んでみるといい。本当に面白いから。

僕の向かいに座ってた彼が、人懐こい目をしていることにその時初めて気がついた。

ある長老の詩人が彼の顔を評して、笑っているのに泣き顔に見えるし、泣いていても笑顔に見えると言ったそうだ。どんな顔なのか想像できるかな。河回仮面《ハフェ》〔慶尚北道・安東の伝統仮面劇で使われる〕みたいだと言えるかもしれない。泣いているのか笑っているのか不明な顔を持つKは、その日僕の向かいの席で黙って食べてばかりいた。面白かったのはそんな彼に対し、フランスから来た出版社の社長が、あからさまに好意的だったことだ。たとえ言葉が聞き取れなくても、表情でわかることがある。社長のその明るい表情が彼に対する好意を物語っていた。通訳を介して、しきりに話しかけていたのもその社長の方だったし、ともかくその日も彼の声を聞くことはなかった。ほとんどしゃべることがなかったうえに、たまにしゃべっても僕の所には届かないほど、小さな声だった。

ところが数日前にKも加わった一行と一緒に中国に行った時のことだ。韓国と中国の修交十五周年ということで——隣の国なのにまだ十五年というのはあんまりな話だと思うけど——両国の作家が集まって「近代と私」というテーマで発表を行い、酒の席も設けて交流を深めるという機会があった。その期間中、北京にいたある晩、ホテルのロビーで夜遅くまでチンタオビールを飲んでいた。昼間の疲れから雰囲気は少し沈みがちだったと思う。

ふと、Kが口を開いた。

昔、夫を亡くして独り身で暮らす女が住む家に、坊さんが布施を集めに来たそうだ。その後家は初め見向きもしなかった。そのうち帰るだろうと思って。ところが坊さんはぴくりともしないで、念仏を唱え続けたんだと。それでも布施を出そうとしないから、木魚を叩きながら唱えていた念仏が、

「や〜らなきゃ帰ると思うてか〜」

という具合に変わっていた。すると坊さんの変な念仏を部屋の中で黙って聞いていた艶っぽい後家が、チマの裾をきりりとつかみ直したかと思うと、

「そ〜う言えばくれると思うてか〜」

と、まったく同じ調子で念仏を唱え始めたんだそうだ。それだけでもおかしくて、しばらくの間一行は腹を抱えて笑い転げていたが、彼の話はそこで終わらなかった。

Kがモンゴルに旅行に行ったことがあったとかで、ちょうど雨季だったから、真っ

青な草原に小さな野の花がいっぱいに咲き乱れて、それが目にしみるほどきれいだったそうだ。草原にござを敷いて酒盃を傾けていた一行が、退屈しのぎに六人ずつ向き合って座って、ということは全部で一二人いたってことだ。木の枝で酒の瓶を木魚がわりに叩きながら、リズムを合わせて一方が、

「や～らなきゃ帰ると思うてか～」

と唱えると、もう一方は、

「そ～う言えばくれると思うてか～」

という具合に、低い声でお経のように掛け合いを始めたところ、最初はただ余興でやり出したのが、そのうち興に乗ってきて本当の念仏みたいに荘重な雰囲気になってきた。

そこへ通りがかった一人の外国人の女性が、悲鳴のような感嘆のような声を上げたそうだ。こりゃうるさいのかと申し訳なく思って一同が念仏をやめると、その女性は何かにとりつかれたみたいな表情で、どうか続けてほしいと頼んできたんだ。ワンダフル、ワンダフルってうっとりした声を上げながら。それから広い広い草原には、

「や〜らなきゃ帰ると思うてか〜」

という声と、

「そ〜う言えばくれると思うてか〜」

の掛け合いが見渡す限り遥かな草原の果てまで響き渡ることになって、もう止まらなくなってしまった。そのうち外国人の旅人が一人、二人と彼らの周りに集まり始めた。その数はだんだん増えて、一行の周りをぐるりと二重に取り囲んだまま座りこんで、おごそかに響くその念仏にじっと耳を傾けた。何かの拍子に念仏が止まってしまうと、アンコールの声があちこちから上がるから、また、

「や〜らなきゃ帰ると思うてか〜」

「そ〜う言えばくれると思うてか〜」

と続けざるを得なくなる。それを幾度となく繰り返しているうちに、草原の野の花は花弁を閉じ、遠い旅から帰ってきた馬の群れは家に戻り、日も傾いて、草原に暮らすモンゴルの少年は、夕飯の知らせに家路についた。もう月が昇りかけていたそうだ。彼らを囲んでいた外国人旅行客たちは、まるで東洋の神秘的で荘重な音楽を聴く求道

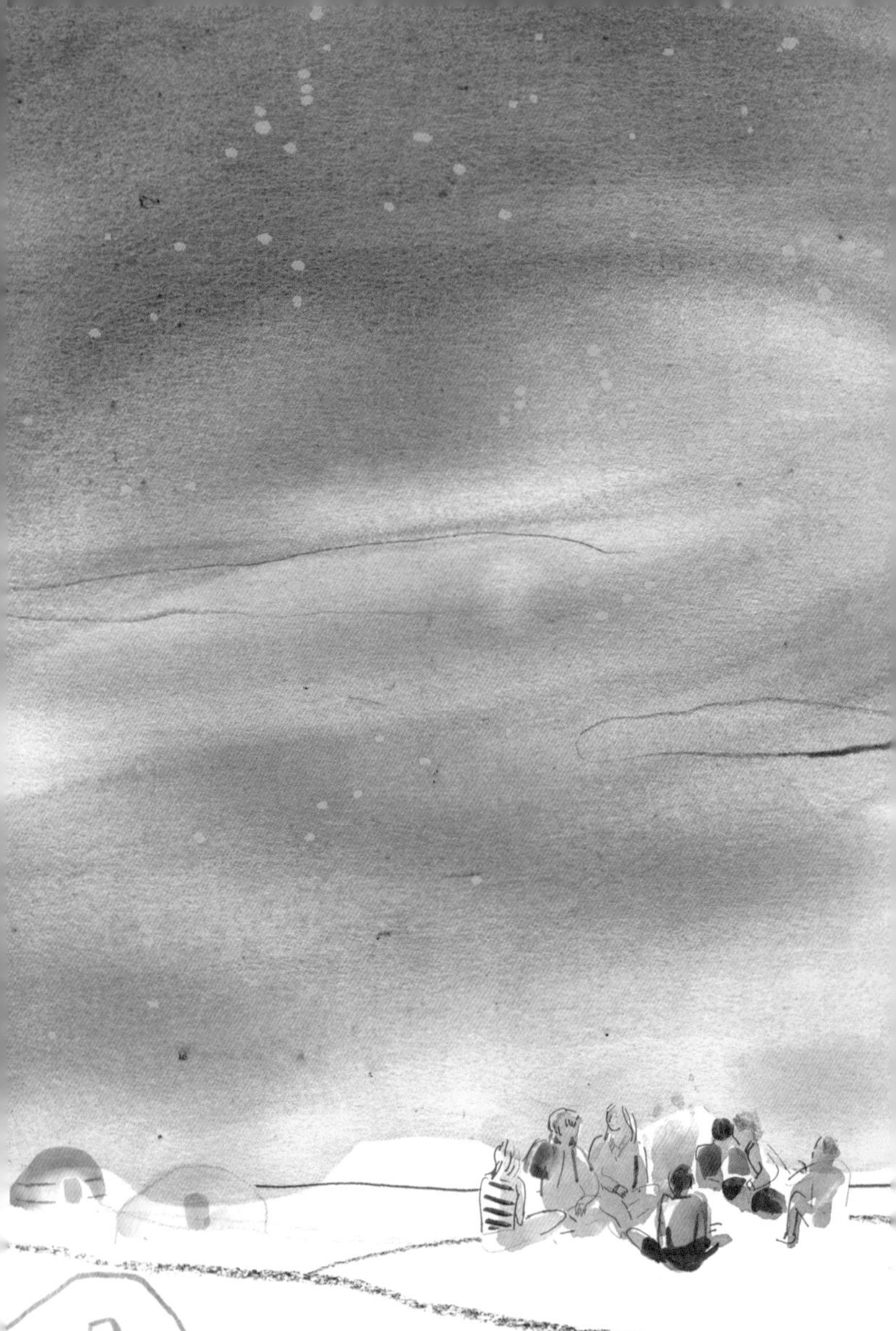

者のような顔つきになって、帰ることも忘れたように、いつまでも念仏を傾聴しているばかりだった。そのせいか一行もいつの間にか、

「や〜らなきゃ帰ると思うてか〜」

「そ〜う言えばくれると思うてか〜」

という文句で、何かとてつもなく立派なお経でも唱えているような錯覚に陥ったのか、月が地平線の方からすっかりその顔を突き出すまで、どこまでも広がる草原のただ中で掛け合いを続けていたそうだ。

春の雨降る日

そんな日がある。すべてのことが雨のせいだとか、雪のせいだと思える日が。つまり、ただ何かのせいにしたくなる日。そんな日はよほどでない限り、人に会ってはいけない。いつもは親しくしている人でも、相手の言葉が妙に引っかかって、つい余計なことを言いたくなってしまうから。

朝寝坊をして目を覚ますと、Mはまず今日歯医者に行くのはやめようかと思った。こんなに雨がしょぼしょぼ降っているのに、歯科医院に行って病院の臭いをかぎながら、診療台に横になるのが嫌だった。でも、あらためて予約するまでどれほど苦労したことかと思い直した。まして母に会いに行くことになっている日だったのに、それを後回しにしても歯の治療をすると決めたことだった。本当は去年の冬の間に行かなければならなかった。根っこまで傷んでしまった歯を抜いて、代わりにインプラントを入れることにしていた。ところが歯を抜いてから、なかなか時間が取れないでいた。土曜日はともかく日曜日まで会社に行かなくてはならない仕事が続いた。医者がMの歯槽骨が弱っているので、インプラント治療の前に、人口骨を移植する施術を先にすませなければならないと言った。だがその言葉に気おくれがして先延ばしにしているうち、とうとう年が明けて春を迎えることになってしまったのだ。

去年の十一月の初めに、庭の片隅に埋めておいた水仙の球根から新芽が出て、黄色の花が咲きだす頃になるとようやくMは、ああ、今度こそ歯医者に行かなくちゃ、これ以上延ばせないと考えた。結局、歯科医院に電話をかけたものの、医者と時間が合わなくて四回も予約とキャンセルを繰り返した末に、今日という日を迎えたのだった。今日から四日間は連休で会社に行かなくてもいい。たとえ頬っぺたがパンパンに膨れ上がったとしても、誰にも見られずにすむ。Mはベッドに横たわったまま、しとしと降る雨の音を聞きながら、今日行かなかったら、いったいいつ行けるのかと自問して、予約をキャンセルしようとする気持ちを、かろうじてねじ伏せた。

歯科医院に行ってきたら、熱いコーヒーは飲めそうにないと思い、ともかくコーヒーを一杯飲んでからだと、コーヒーメーカーに豆を入れた瞬間から、事はMの思いとは裏腹にねじれ始めた。豆を入れ、新しい水を満たしてボタンを押したのに、ピクリともしない。何度やっても同じことだった。モニターには今まで見たこともない赤ランプがついていた。何だっていうんだ！　マニュアルを見ると、コーヒーメーカーをクリーニングしろという表示だった。その手順に従ってクリーナー・タブレットを入れて作動させようとしたが、相変わらず動く気配がなかった。サービスセンターに電話して、技術者を呼んで調べてもらうと、ここでは修理のしようがないと言われた。三、四日かかるとも。クリーニングするだけのことで、どうしてそんなにかかるのかと問い詰めると、Mのコーヒーメーカーは長い間掃除しなかったために、挽いた粉がミルの中にまで詰まってしまった状態だと言う。その上、エスプレッソ用のコーヒーメーカーをクリーニングするには別のタブレットを使用しなくてはならず、注文してから到着まで二日はかかるそうだ。クリーニングするのに三時間かかるが、終わるまで横でずっと見ていなければならないと言う技術者の言葉を聞きながら、Mは雨のせいだ、とつぶやいた。

コーヒーメーカーのトラブルはまだ、始まりに過ぎなかった。それから歯科医院に行くまで、やることなすことすべてがうまくいかなかった。本のページを繰りながら紙で手を切ってしまったし、シャンプーしていて、トリートメントの瓶を落として割ってしまった。クリーニング店に出した洗濯物を受け取ってから財布を見ると、一万ウォン札が一枚も入っていなかった。後で出かける時に寄るからと言うと、店の主人はあきれた奴だというような目つきで見た。机の引き出しを開けようとしたら、ガタガタ音を立ててひっかかって抜けてしまった。何とかして元に収めようとしたが、手の甲を角にひっかけて真っ赤な血がにじみ出てきた。まったく皆、雨のせいだ！　とMは引き出しを床に放り出したまま、救急箱を取りに行こうとして、今度はドアに足の指が挟まって前に転んでしまった。

雨さえ降らなきゃ！　食卓に座りこんで血を拭き取り、薬を塗ってからバンドエイドを貼っている間も、Mは雨に対する恨みごとを言い続けていた。インターホンが鳴ったので出てみると、郵便配達人が区役所からの書留郵便を差し出した。サインしている間にも、雨は静かに降り続いていた。門の扉はよく閉めてから行ってくれと言うMの言葉には答えず、郵便配達人はもう花もすっかり散っちゃったなとつぶやいた。花が咲いていた辺りを見ると水仙の黄色い花が下の方にぐったりと垂れていた。雨に濡れながらも何とか頭をもたげていた他の花も、落花寸前の様子だった。もともと水仙の花は寿命が短いのにMは雨のためだと思っていた。ぐずぐずと降る雨を恨みがましく見つめながら、区役所から送られた書類を見ると、思いもよらず駐車場を改善するようにという警告文だった。どうして駐車場を改善しなくちゃならないのかと目をまん丸くした。今住んでいる家は三叉路にある、道路に面した家だった。そのせいか通りすがりの車や近所の人たちが、Mの家の塀を取り巻くように車を停めていた。ある時は家の門の前にまで停められて、門を開けて外に出られなくなったこともあった。自分の車を車庫から出そうとする時も、他の車が邪魔になって苦労しているというのに、そういう連中の車をきちんと駐車させるのではなくて、自分に対して駐車場を直せだって？　Mは警告文を手に持ったまま、すぐに担当者に電話をした。他の人が家の門の前にまで車を停めているのを知りながら、それでも自分はちゃんと家の車庫に車を入れてるんですよ、それなのにこれはどういうことですかと、電話をとったら浴びせかけるつもりの文句まで準備しているのに、電話に出た奴は担当者じゃないから、どういう状況なのか何とも言えないと言う。それはそうかもしれない。それでもMがどうしてこんなものが自分の所に送られてくるのかわからんと言うと、相手は担当者が外回りに出ているから明日また電話してくれと、事務的に答えた。これも雨のせいに決まってる！　がっくりしたMはわきあがる怒りに、訳もなく雨を呪いながら受話器を下ろした。

傘を探しても見当たらなかった。これ以上遅れると予約時間に間に合わなくなりそうで、諦めて傘もささずに春の雨に濡れながら歯科医院に着いた。中に入ると看護師が、あら来られたんですねと驚いた表情を浮かべた。予約をして来たのに、何でそんなに驚くというのか。Mは憮然とした面持ちになった。どこかすまなさそうな顔の看護師は言葉を継げないでいる。何があったのか見当もつかなくて看護師の顔をぼんやり見つめるしかなかった。過労のせいでしょうか、先生が鼻血を出して止まらなくなり病院に行かれたんです。そんな状態で手術はできないと判断されたと思います。了解していただこうと電話をおかけしたんですが、ずっと話し中で。区役所に電話していた時か。携帯の番号も教えればよかったな。歯科医院に携帯で話をすることもないと思って、家の番号だけしか教えなかったからこんなことになってしまったのか。しばらく話し中でつながらなかったんですけど、今度は呼び出し音が鳴るだけでお出にならなくて。看護師はただ、どうしましょうと繰り返すばかりだった。

どうするかと言われても。

Mは翌日にまた予約を入れ直して歯科医院を出ると、雨に濡れて戻っていった。何でこうなるのやら。とぼとぼ道を歩いているうちに、みじめな気持ちになった。こうして何ひとつうまくいかないまま過ぎていく一日が、情けなくもあった。こんなことなら、母さんに会いに行ったのに。

Mはやるせなさと虚しさの混じった気持ちを抱えて、田舎の母親に電話をかけた。

「ほうら、怠け者がよく寝られるように雨が降ってくれるじゃないか」

이레치과
해원 미용실
미용실

今まで雨を呪い続けていたMとは正反対に、受話器の向こうで母はうれしそうに声を上げて電話口に出た。怠け者がよく寝られるように。しとしとと雨が降り続く日に、子どもの頃から母がよく口にしていた言葉だった。本当に「怠け者」みたいに、Mと母はこんな雨の日に雨音を聞きながら昼寝をしたものだった。そうして梨の花が咲いたり、牛が仔を産んだりする懐かしい夢を見たりした。忘れかけていた昔の日々を思い出させる母の一言に、Mはようやく、ああ、そうだねぇ！　と答えて愉快に笑った。

QとA

『なお歩むべき道』という本の表紙にこんな文句が書かれている。

「私たちは死ぬまで新たな生き方を学び続けなくてはならない」

Qは数日前に書店であれこれ本を手にとって眺めていたが、ただこの一文のために、本の内容がどんなものかもわからずにレジで代金を払った。〝なお歩むべき道〟とはQがAに秘密にしていた占いの館の名前でもあった。もしかしたら、それが本を買った理由かもしれない。いついつまでというのではなく、死ぬまで生き方を学び続けろというのかと、抵抗するつもりで。

そう思って買ったはずなのに、まだ最初の章も開いてみていなかった。家に帰ってから読んだのは、その後に続く「つき当たりにぶつかった時、あるいは絶望の崖っぷちに立たされた時も、まさにその瞬間、私たちにはなお歩む道があることを覚えておいてください」だけだった。それまで楽しんでいたことをもう、何ひとつできなくなっていた。ギターを弾くことも、山に登ることもできず、Qはただ時折、家の中で手当たり次第、壁に向かって物を投げつけるような日々を送っているところだった。

半月前、地方にあるM大学の専任教授の採用試験に脱落したという知らせを受け取ってから再発した病だった。M大学まで数えると合わせて一三回目の落選だった。一三回も経験したら、そろそろ免疫ができてもよさそうだが、そのたびに重度のうつ病のような状態に陥らなければならなかった。とりわけM大学の場合は、これっぽっちの可能性もないと思い、書類を出す時に、どうしてこんなむだなことをこりずに続けるのかと思っていたのにも拘わらず、後遺症は同じようにやってきた。書類選考を通過して、公開講義をしに来るように連絡を受けながら、意味のない役回りをまた繰り返すつもりかと自問していたのに。内定者といわれた人物の鼻の下にあるホクロを見て、ひょっとしたらと淡い期待でもかけたのかと、Qは自分自身にあきれてフッと笑いをもらした。

Aはどうしてるだろう?

Aは名前を知っているだけで面識はなかったが、大学の専任教授採用試験会場でよく顔を合わせるようになった。書類選考ではいつも三位以内には入っていて、公開講義をしに行くとAがいる。そんな所で毎回顔を合わせるのは、お互い楽しいことではなかった。Aだけではなかった。狭い世界のことだから、隣に座っているのは顔見知りということがしょっちゅうだった。そのうちお互い知らないふりをすることになる。三、四回見かけた人の何人かは採用されるか、採用を諦めて自分で研究所を作ったという話を聞いたりする。専攻とは関係のないところに就職をしたとか、私設の塾を作ったとか、スコップなど手にしたこともないような人が山奥の村に移住したという、想像もできない結末を聞いたこともあった。

そんなことがあっても、QとAはめげることなく公開講義や面接を前にして控え室で顔を合わせた。六回目の時には仕方なく、いかがですかと笑顔で挨拶を交わした。

どちらも気まずさを隠し切れない挨拶だった。自己紹介をしなくても、その頃にはQはAがドイツに留学し帰国した後、有力と思われていた母校の恩師の後任の座を後輩に譲ってから、落ち着く先が見つからないまま数年経っていることくらいは知っていたし、Aもまた Qが、自分と同じような身の上なのを知らないはずがなかった。

結局互いがライバルという立場である以上、親しくなりようがない間柄であるのに、挨拶を交わしてからは公開講義や面接が終わると、相手を待って一緒にお茶を飲むようになっていった。どういうめぐり合わせか、書類選考を通過した二人を含む三人が面接を受けると、決まってQとAが落ちてもう一人が採用されることになって、二人の間には仲間意識と言おうか敗北感と言おうか、そんな感情を持つ回数が増えるたびに、友情のようなものが芽生えてきた。

九回目の試験に落ちてから、二人は情報交換を始めた。次はどこの大学で教授採用があるから、書類をいつまでに提出しなくてはいけないというようなことから、どこどこの大学は学長がキリスト教徒で、面接の時に聖書の一節を暗誦させるから、聖書をくまなく読んでおかなくてはならないというようなことまで。彼らが交換する情報は有用なことは間違いなかった。それなのに二人はまるで、避けがたい運命の道をともに歩く同伴者ででもあるかのように、M大学でまた出会い、また落ちてしまった。その大学は前もって内定者が決まっているから、書類を出すのはむだだという情報を共有していたのに、Qが習慣のように書類を送ってしまい、書類が通過したという知らせに二次の公開講義に行ったところ、そこにAも来ていたのだった。

「あれ、Qさん」

「おや、Aさん」

二人はなくしてしまった片割れを見つけた時のように、喜び合って抱擁までした。それから控え室に座っていた、内定者だといううわさの人物をのけ者にでもするかのように、いかにも親しげにわざと大声で笑ったり、時には秘密の話でもしているように耳打ちをしたりもした。ひそひそ話の中身は内定者の人相があまり良くないというものだった。唇の上にホクロがひとつあるが、そのホクロは必ずや、内定者の飯を他の人がひと箸ずつかすめ取っていくことを暗示するホクロだというのだった。今まで採用試験に落ちたり、書類を提出してから訪ね歩いた占い屋で拾い聞きした言葉で、内定者といわれた人物の人相を占ったわけだ。二人とも、内定者の飯を自分たちがひと箸ずつ頂戴することになればいいという心情になっていたことは確かだった。だが結果は予想と違わなかった。結局二人とも内定者の飯にはありつけなかったことになる。Qがちょうど A に電話をかけようとしたところに呼び出し音が鳴った。Aだった。

「何してる」

「本を読んでるところ」

Aは大声で笑った。

「出てこられるかな」

「何かいいことでもあったみたいだな」

「旧基洞《クギドン》に有名な占い屋、いや占いの館があることを知ったんだ。一緒に行こうよ」

「旧基洞といったらここから近いけど。そんな有名な所があるなんて知らなかったな」

「その名前がちょっと変わっているからみんな占いの館だとは思わないんだろ。『なお歩むべき道』だったかな」

なお歩むべき道。Qは思わず唇を舐めた。とうとうAがあそこまで探し当ててしまったのか。これまでAには内緒で通っていた、僧侶が占う占いの館が〝なお歩むべき道〟だった。今までQは僧侶が作ってくれるお守りを靴の中敷きに貼って出かけたり、面接の前に飲み下すように言われて、朱色の文字を燃やした灰を水に混ぜてこっそり飲んだりしていた。Aにはすまないと思いながら、QかAのどちらかが選ばれるような時には何か心の支えが必要だったのだ。それなのにAは自分の力でその占いの館を探し当てたとは。

Qは受話器を置くと、壁にぶつけて粉々になった灰皿やコップのかけらを掃き寄せてゴミ箱に入れ、バラバラに散乱していた本をきちんと並べて机の上に立てた。そうしてドアをバタンと開けて外に出ると、プハッと吹き出してしまった。その通りだった。我々は死ぬ日まで、新たな生き方を学び続けなくてはならないのだ。

彼のために

彼が逝去したという知らせは、なぜかSを無気力に陥れた。とっくに締切の過ぎてしまった原稿を書いているところで、今から拍車をかけて書いたとしても弁解のできない状況なのに、手が止まってしまった。Sはともかく書き進めようと机に向かったが、結局ノートパソコンを閉じてしまった。ひっきりなしにかかってくる電話の音が耳触りで電源を切ってしまった。悲しいというのでもなく、無念だという言葉でも説明できない虚無感が押し寄せてきた。彼の死によって、それこそひとつの時代が幕を下ろしたような感慨といおうか。そうだった。彼はSが投票権を初めて行使した時に当選した大統領だった。誰もが知る彼の生涯を思い浮かべるのは、決してたやすいことではなかった。一人の人間の人生とは思えないほど、激動の歳月を彼の人生は抱えこんでいた。

ニュースを通じて、彼が世を去ったという事実を伝え聞くと、Sはその時間に自分は何をしていたのかを考えてみた。Kとランチを食べながら、話しこんでいた時だった。伝統家屋を改造したイタリアン・レストランの窓際の席に座って、小さな中庭を眺めながらその日はずいぶんゆっくりと昼食を食べていた。久しぶりに会ったこともあって、話すことはたくさんあった。Kの大学生になる息子が、だしぬけに彼女と同棲すると言い出してあわてたという話や、寿命が延びたというのに、社会的活動から引退した後はいったいどうやって暮らしていけばいいのかというような話だった。息子の同棲宣言をどうなだめたのかと聞くと、彼女の親に許しを得たら考えてみようと言ったら、それきり何も言わなくなったそうだ。Sがどこからそんなアイデアを思いついたのか尋ねた。

「不意に思い浮かんだひらめきというのかな」

思い出しただけでも冷や汗が出るのか、Kは深いため息をついた。自分たちが大学生の頃には、いったいどんな顔で親に向かって同棲するなんて言葉を口にすることができただろうかと言いながら。まかり間違えれば、救いようのない保守主義者だと言われかねないし、親の務めを果たすのも大変な世の中になったものだとうなずき合った。そうやって我々が過去を反芻し、やがて来る時代を不安に思っていたその間に、彼は息を引き取ったのだと思う。彼の家族や友人たちが見守る中での臨終だったというから、その波乱万丈な人生に比べれば穏やかに死を迎えたともいえる。

彼の訃報が伝えられると、猛暑の中にも拘わらず、弔問の列が続いた。生前、彼と行動をともにしていた人々とのエピソードなどがニュースに流れた。Sは受話機の線を抜いたまま、テレビのニュースを通じてその生涯をたどる画面を茫然と見つめながら二日間過ごした。外出する気持ちも、本を広げる気も、何かをしようという気力も起きなかった。食事をしていても我知らず、不機嫌な顔になっていたりした。そうやって過ごしていた時、テレビを見ていたSが思わず目を見開いた。広場に設けられた焼香台に、七十歳を超えたと思われる老人が焼香する姿が映されたのだった。彼が自宅軟禁されていた七〇年代から、二十年近い間、ずっと彼を監視し続けていた刑事だった。その老人が一輪の花を手向けて焼香台から下りてくる姿が目に入った。翌日Sは、今は老いてしまった元刑事のインタビュー記事を新聞で読んだ。ベレー帽をかぶり眼鏡をかけた老人の姿は端正に見えた。記事には彼の生前、家の周辺の土地を買い入れてまで監視を続けたという内容が淡々と書かれていた。彼の妻が、豆腐や豆もやしをどれほど買ってくるかということまで報告したという。息子が彼に言われて本を買ってくるのを横目にしながら暮らしてきたとも言った。彼や彼の家族たちと言葉を交わしてはいけないという上部の指示があったので、二十年にわたって監視の目を光らせながら、直接話をしたことは一度もなかったそうだ。軟禁を解かれてからも、外出する時は警察の車が二台と、当時の中央情報部の車一台が後をついて行くのが基本だった。

「あの方の次男は、買ってくるように言われた本の著者や題名を教えてくれたから報告するのに助かりました。時には向こうから、その日、誰が家を訪れたか、その時どんな話をしたのかまで、大体のことを教えてくれました。私が報告できなければ、後でひどい目に遭うことを知っていたからでしょう」

Sの心を突いたのは次の言葉だった。

「話をすることは禁じられていましたから、あの方に伝えることがある場合は、お宅に入って筆談を交わしました。午後集会があるけれど、そこに参加すれば違法となるので、参加しないようお願いします、と書いて渡したりしたわけです」

Sの目に思わず涙が浮かんだ。

Kの大学生の息子が何のためらいもなく彼女と同棲すると言えるような、自由な世の中をもたらすために彼の歩んだ歳月が、それほどにも過酷なものだったというのか。彼に申し訳ないと思った。Sは大切にしておいた本のページを繰るように、今は一線を退いた老刑事のインタビューを、丁寧に目で追った。彼は自宅に軟禁されていた当時、一日中本を読んでいたという。髪を手入れする理髪師の出入りが制限されると、一人で鏡を見ながら髪を切ったという。一日にたった一度だけ、庭に出ることが許されていた頃は、庭に出て花の手入れをしていたという。木や花に水をやり、飼っていた犬と遊んだ後は、再び家の中に入っていったものだと。それが外に出てすることのすべてだった頃があったと。

Sは体を起こしてクローゼットの前に行き、黒い服を探した。鏡を見ながら自分の髪の毛を切り、一日に一度しか庭に出ることができなかったなんて。

SはKに焼香しに行こうと誘うために、ようやく電話をつないだ。さようなら。安らかに旅立たれますようにという、最後の挨拶がしたかった。

海辺の郵便局にて

私は今、海辺の郵便局でこのハガキを書いてる。去年の分の休暇を今になって使っている。どこも行く所がなくて、とりあえずここにやってきた。泊まっているコンドミニアムのフロントに行ったら、ここから下に向かって行けば「海辺の郵便局」があります、と書いてあったから最初はカフェかと思った。コーヒーでも飲もうかと案内どおりに海辺の道を下りていくと、カフェではなく、あずまやがあった。一人の青年が真ん中に置かれたテーブルに座って何かを書いていた。あずまやに入ると、木の箱にハガキがいっぱい入っていて、「ハガキを書く事情を書いてから箱に入れれば、毎日集めて郵便局に持っていって、出してあげます。無料です」と書いてある。誰のアイデアか知らないけど、その瞬間、何だかさわやかな気分になった。ハガキを一枚取って座ってみたものの、覚えている住所がなかった。それでもこうして書き始める。

あら、ゴマ粒みたいに小さな字を書いたのに、ハガキ一枚に書ききれない。

ここに来てから一日二時間は歩いている。それでも時間は埋まらない。都会で自分がどれほどあわただしい生活を送ってきたかがよくわかる。私が歩く道はオルレ〔済州島方言で小道を指す〕の道であったり、そうでなかったり。コンドミニアムの支配人から車を借りて、オルム〔側火山〕やコッチャワル〔済州島特有の植物群生地〕の近くまで行ってから歩くこともあった。チョンムル・オルム〔側火山のひとつ〕に登った時は、火口原にあるお墓を見た。黒い石塀が墓の周りをぐるりと囲み、土盛の上には無数のゼンマイが生えていて。風水地理のことは何も知らない私でも、そこが吉祥の地だということがすぐに納得できた。見上げれば果てもない青空が広がり、見下ろしてみると火口原の平地が一目で見渡せる。周囲には見たこともない植物や木がよく茂っているし、何より四季を問わずいつでも陽ざしが降りそそぐ、日当たりの良い所だったから。ふと、あんな所なら、自分の墓を立ててもいいかなと思ったりもした。ラズベリーやキジムシロ、キンポウゲやルリハコベ、それにニワゼキショウなどが可憐に咲いた道を上り下りする間、ずっと点在するお墓から目が離せなかった。時には村に沿って歩きながら、ミカンや太刀魚をソウルの自分の家や、故郷に住む母のもとに送ることもある。今は太刀魚の時期じゃないから、ずいぶんしたけど。きっと母さんが値段を聞いたら、びっくりして食べられなくなるに決まってる。

あれ、文字をさっきより小さく書いたのに、二枚目のハガキもいっぱいになってしまった。

ミカン農園や農水産物直売場で故郷の住所を書いている時、ふと思った。私が故郷を離れてから三十年も経つのに、まだ住所を覚えている。十五年前に市に昇格してから、住所も邑から市に変わっているのに、何かを送る時にはいつも、頭に残っている昔の住所を書いて送るんだけど、それでもちゃんと着いてしまう。だから新しい住所が覚えられないのかもしれない。こんなことが一年や二年じゃなく、もう十五年続いているんだから、不思議でもあるけど悪い気分じゃない。この間はサボテンの実をすって食べると胃腸に良いというから、母に一箱送ろうと住所を書きながら、何だか感慨のようなものが胸をよぎった。まだ故郷に母がいてくれることが本当にありがたく思えて。見知らぬ土地から、こんなものを送ることができるのは、自分だけに許された贅沢なのかなって。二日経って母さんから電話があった。太刀魚の上に何匹かのせて送った魚を見て、これは何の魚なのかって聞く。母さん、それはアマダイっていってね。ここでしか採れない魚だそうよ。焼いて食べてね。淡白で美味しいわよ。すると母さんは、アマダイだって。そんな名前の魚があるのかい。だけど、あんたこんなもの送らなくていいから、お金は大事に使わなくちゃ。あんたはどうして母親の言葉を聞かないいんだ。意地っ張りなんだね。

あらあら、こんなに小さい字で書いてるのに、もう三枚目が終わってしまった。

海から吹く風の中を、オルムの風の中を、農園の風の中を……歩いていると、今のことより、昔のことが透き通った姿になって現れることがよくあって、いつの間にか深いため息をついたりしている。風は鏡なのかもしれない。どうやってそれをくぐり抜けて、今のこの時にたどり着いたのだろう。そんな思いが、予期せずに淡々と浮かび上がってきたりする。長い間忘れていた人たちの顔が、風に乗って少しの間、目の前にとどまる時もある。そうやって歩き続けていると、私の思いは過去を越え、現在を過ぎて未来に向かって伸びていく。歩くというのは全身を使うということだろう。ここに来て歩き始めてから、歩くのは運動ではなく、休息でもなくて、未来に向かって一歩進んでいくことなのかもしれないと思うようになった。どんなことにも決して終わりがないのだという気もする。自分は故郷を離れてしまったけれど、その住所を今もはっきりと覚えていて、この今という時に何かを幾度も送ったりすることみたいに。そうだと思う。時間がこうして流れていくように、すべてのことが果てもなく続いていく。別れだって終わることではなくて、結婚も終わりじゃない。死ぬことだってそう。生は続いていくもの。コントロールできないほど複雑に絡みあったまま、多様で無秩序な姿として。時にはこんな時間、こうして一人置かれた時間の中で、その継続する生を見守っている心に出会うことになるのかもしれない。

今度は字が大きすぎたかな。もう四枚目もいっぱいになってしまった。

隣で一緒にハガキを書いていた青年が立ち上がると、書き終えたハガキを収集箱につっこんだ。その時目が合って微笑を浮かべたから、私も笑顔を返した。こんなふうに、瞬間的に心がつながるのはどうしてだろうか。何気なく青年が置いていった地元の新聞を広げて、スボン路〔西帰浦市にある生態系観察路〕についての短い記事を読んだ。オルレ保護活動チームが、ここを訪ねてくる人たちが歩けるように、下にある海辺の道をつなぎ合わせて道を作ったけれど、海と道を結ぶある丘の所で途切れてしまった。ところが一匹のヤギがその丘の草原で遊ぶのを見て、ヤギがそこに入って草を食べることができるのなら、道を作ることもできるだろうと考えた。それからヤギの後を追って入っていって、海につながる道を作ることができたそうだ。その道を開いた人の名をとって、スボン路と呼ぶようになったという話だった。このハガキを書き終えたら、スボン路を探して歩いてみなくちゃ。

さてこれをどこに送ろうか。考えこんでいたら、コンドミニアムの主人が、ハガキを集めに「海辺の郵便局」にやってきた。彼が収集箱を開くと一〇〇通を超えるくらいのハガキが出てきた。こんなにたくさんの人たちがどこに送るのだろう。私は自分の書いたハガキの表に一、二、三、四……と番号だけを添え、主のいない自宅の住所を書いて、ハガキの山の上に並べる。

きっと私より先に、ハガキがわが家に着いていているだろう。

花梨の木を守る

Hの家に二度目の通知書が届いた。

一、区政発展にご協力いただいている貴下に感謝申し上げます。
二、貴下の所有される当区倉坪洞《チャンピョンドン》四〇〇番地三号の地上建築物に下記のような駐車場法違反事項があり是正指示を行いましたが、現在まで是正が実施されていないため再度是正を促すものです。違反事項を是正された後、その結果（是正後の写真添付）を当区（参照：交通指導課）に提出をお願いするものであります。

三、万一、期間内に是正が行われない場合、駐車場法第三二条及び同法第二九条の規定に依拠し、下記金額の強制執行金賦課及び関連機関への告発処置がなされますので、違反事項未是正による不利益処分を受けることのないようご留意ください。

その下には違反内容と強制執行金賦課額が記載されていた。Hは強制執行金の数字を、黙って目で追った。一九〇いくらかだった。だが、もし是正に応じなければ本当に職員が来て、強制的に駐車場を直すというのだろうか。担当者に電話をかけた。通知書の下欄に書かれた電話番号を見るまでもなかった。すでに一回目の通知書を受け取った時、この不当でばかげた内容に怒って担当者に電話をかけてから、番号も自然に覚えてしまっていた。私がHです、と言うと担当者も声を覚えていて、はいと落ち着いて答えた。

「今日、通知書を受け取りました」

「はい」

「是正しなかったら、本当にうちに来て強制執行したり、告発措置をするんですか」

「はい」

「他人の家に来てやるっていうんですか」

「はい」

「法廷に立たせるっていうんですか」

「はい」

担当者はもうHに対しては、はい、はいとしか言わないと決めたようだった。また、カッと怒りがこみあげてきた。こんなふうになるのも一〇回は越えていた。恐らく、Hが七十六歳で死んだとすれば、七十七歳まで生きられたのに、この件で寿命が一年くらい縮まったと思うだろう。先月ひと月の間、駐車場是正命令通知書を送りつけた区役所の交通指導課の担当者と話すたび、心臓が破裂しそうなほどいら立ったあげくに、電話を切ることが続いていた。Hがどんな反応を見せても、担当者は平常心を失うことがなかった。これはもう、完全に馬の耳に念仏だった。

「一度会って話しましょうよ」

「会っても状況は変わりませんよ。法に背いているわけですから」

「いや、うちは車が一台きりで、その車は地下の駐車場に置いてるんですよ。それなのにどうして屋外にまた駐車場を作らなくちゃならんのですか。何のために金を使わせるんですか。そのうえその場所は去年、花梨の木を移植したのに、それをまた移したら木が枯れてしまうじゃないですか」

「花梨の木のある所は、もともと駐車場として設計してある所です。元通りに修復しなくてはいけませんよ」

「あんたね、使いもしない駐車場を何のために、木を引っこ抜いてまで直さなくちゃならないんですか」

「そうすることになっています」

「いったい全体、そんなにやる事がないのかね」

「これが私のやる事です」

「ここに来たっていうんだから知ってるはずだよ。うちの駐車場が問題なんじゃなくて、うちの塀をぐるりと回って、町内の人たちがみんな車を停めていて、私の方が被害をこうむってることはあんたもわかってるでしょ」

「確かにそうですね」

「それを知ってて、使いもしない駐車場を復旧しろなんておかしいでしょ。うちに駐車場を復旧しろというより、他人の家の門の前まで車を停めてる、そっちを取り締まったらどうですか」

「それは、私の管轄じゃないんで」

Hはこみあげる感情を押えつけた。すぐにでもおい、何度同じことを言ったらわかるんだ？　何のために使うことのない駐車場を復旧しなくちゃならないんだよ！　あんたの名前の一文字がチュンだけど、虫の字のチュンか。と大声をあげたい気持ちが今にも爆発しそうになった。このままでは意味もなく声を張り上げることになるだけだと思って、受話器をガチャンと置いた。

この家に越してきたのは五年前だった。駐車場を復旧しろという是正命令通知書が来るまでは、去年の春に、友人のLの家にあった花梨の木を移した所が駐車場だったとは知らなかった。家が再開発で立ち退きになるLがやってきて花梨の話を持ち出した。亡くなった母親が若い頃に植えた花梨だと言いながら建設業者の手で切られてしまうのは見るに忍びないと、涙まで見せるのだった。Hは花梨が好きというわけではなかった。それに自分の家でもなかった。それでもLのために大家の許可を得て、庭というほどでもない、家の脇の小さな空き地に花梨の木を植えかえた。大木だったので費用も少額ではすまなかった。Lが快く費用を負担したので、ただ花梨の生き延びる地ができたことは幸いだと思っただけだった。木の方も主人の気持ちを汲んだのか、移植をしたばかりだというのに、その年の秋には黄色く熟した実を四七個も採ることができるほどしっかりとそこに根を下ろしてくれた。駐車場を復旧しろということは、その木を掘り起こせということだった。花梨の移植を頼んだ時、大家がそこに木を植えてもいいものかわからないが……と語尾をにごした訳と、コンクリート塀が続いていたのが突然その空き地の所だけ木製の垣根で区切ってあった理由を、Hもようやく知るところとなった。花梨さえなかったら、駐車場の復旧は別に難しいことではなかった。塀と塀の間にある垣根の場所に、開閉できる門さえ作れば良かった。ところが

花梨の木がでんと立っている限りは、車を停めることができない状態だった。車を置き写真を撮って提出せよというのが、区役所の要求だった。本当に強制執行をするのかどうか、裁判になるのかどうか意地を張ってみるつもりなら、この家が自分の持ち物でなくてはならない。だが大家にそんな役回りを務めてほしいと言うわけにはいかなかった。花梨をいったいどうしたらいいのか。悩んだあげくにLに電話をかけた。

一時間もしないでHの家かけつけたLは、すでにHが何度も繰り返した対話を区役所としてみたが、結局、憔悴しきって電話を切るしかなかった。

孤独な表情を浮かべて、花梨のある塀の内側と外側を三十分くらい行ったり来たりしていたLは、何か奇抜なアイデアでも思いついたのか、Hの腕をぎゅっとつかんだ。

「塀を壊せばいいんじゃないか」

「塀を？」

「花梨を避けて出入り口をつければすむんじゃないかな。どこであれ、車さえ出入りできればいいんだから」

Hは茫然とLを見つめた。花梨のために、まだしっかりしている塀を壊すんだって？

自分の持ち物でもないのに。

「やってくれるだろ。費用はオレが出すから」

Hは急に表情が明るくなったLをがっかりさせることができなくて、思わずうなずいてしまった。区役所の担当者を説得するより、大家を説得する方が早いかもしれないと思いながら。

愛すべきおばあさんたち

Yが歯医者の入り口から入っていくと、看護師がにっこり笑った。だが、その笑顔を見ても、Yのしかめた表情が緩むことはなかった。今日は今までさんざん後回しにしてきた、奥歯を抜かなければならない日だった。抜かないまま旅行に行って、旅先で痛くなったらどうするのか、短い旅ではなくひと月もかかる日程だというのに。

朝から歯医者の待合室には、おばあさんたちが「ずらりと」並んで腰かけていた。お互いに顔見知りなのか、まるで少女たちのようにひそひそ話をやり取りしている。

Yがその様子を眺めていると、看護師がいたずらっぽく笑いながら、真ん中に座ってるおばあさんがスケーリングをしに来たら、知り合いの人たちがついてきたのだと言った。歯石を取り除く治療が怖くて、治療するたびに知り合いが一斉にくっついてくるんだとか。それがもう十年も続いていると言う。気のいいお仲間のいるおばあさんだな。よっぽど良い行いを続けてきた人なんだろうか。Yはスケーリングをしに来たという、真ん中に座ったおばあさんを見つめた。真っ白な髪に、銀ぶち眼鏡をかけたおばあさんは、仲間のおばあさんたちに囲まれている。皆、代わる代わるその手を握ったり、背中をさすったり、服を直してくれたりしている。今この瞬間だけはこの世でいちばんうらやましい存在だ。

Yも歯を抜くのが怖い。できることなら今からでも帰ってしまいたい。歯医者に行かなくちゃと思ってから、もう六か月近くになる。以前、虫歯になって詰め物をしてあった奥歯が、冷たい水を飲むとしみるようになって、だんだんひどくなっていった。行かなくちゃと思いながら、何度も行きそびれているうちに、ちょっとでも寝不足になるとしみるようになり、そのうち詰めてあったものが取れてしまうと、歯がぐらぐらするようにまでなった。それでも歯医者に足を向けるのをためらっていた。

学校の休みに、四年前から計画していたイタリアへの家族旅行に行くことにした。出発日まで一週間しかなかった。それなのに歯がこんな状態では心もとなくて歯医者に来てみると、もう抜くしかないというところまで、悪化していた。誰かが歯の痛みを訴えると、歯医者は一日でも早く行った方がお金がかからずにすむと忠告したものだったが、自分の歯はそんなになるまで放っておいた結果だった。

いたたまれなくなったYは明け方寝床で目を覚ますと、横に寝ている妻に今日、歯を抜くから一緒に行こうと頼んだが、妻にはあなた、子どもじゃあるまいしと即座に一蹴され、背を向けられてしまった。考えてみれば、妻が歯医者に行く時にYがついて行った覚えはなかったのだ。


「抗生物質は飲んできましたね」

「はい」

「怖がらなくても大丈夫ですよ。麻酔するから痛くありません。前の方が予約をキャンセルしたから、今すぐに抜歯できます。どうぞお入りください」

誰だか知らないが、前の奴はどういう訳で予約をキャンセルして、歯医者に入るや否や、待つ暇もなく歯を抜くようにし向けたのか。Yは看護師について診療室に入っていった。デンタルチェアにはほとんど寝るような格好で座った。妻は歯医者に一緒に行こうというのをすぐに突っぱねたことを申し訳なく思ったのか、家を出る時には、歯を抜く間は何か他のことを考えるようにとアドバイスをしてくれた。

「何を考えればいいんだ」

「旅行のこととか。仕事がうまくいった時の幸福感とか。ジュンが生まれた時のこと、私に初めて出会った時のことなんか」

Yは妻の顔をじっと見た。初めて出会った時のことを考えろと言うなら、あの頃みたいにきれいになったらどうかと思いながら。

眼鏡をかけ、口にマスクをかけた医者がYの所にやってきた。Yは歯医者に来るたびに、医者のしているマスクが気になった。今さらのように、自分がバイキンだらけの歯を持っている患者だと思い知らせるようなマスクだ。

「緊張しないでください。すぐすみますから」

Yの右の奥歯のあたりに麻酔注射を打ってから、医者は十分くらい待つように言った。麻酔が効いてくる時間を言っているようだった。Yはデンタルチェアに横たわったまま、他のことを考えようと努めた。ところが何の考えも浮かんでこない。ぼんやり横たわっていると、その間に十分が過ぎたのか医者が近づいてきて、再びYの口の中をのぞきこんだ。Yは目をぎゅっとつぶった。他のことを考えよう、さあ、他の考えよ、早くこいと必死に願ったのに、他の考えどころか治療器具を手に取る医者の動作だけが一層生々しく感じられて、背中の辺りが突っ張ってきた。ドリルか。ハンマーか。ウィーン——音をたてたちまちYの口の中は工事現場になった。この世でいちばん聞きたくない音だ。他の考えが浮かんでくれれば、その音が少しでも遠くの方に聞こえるようになるはずだったが、別のことを考えようという強迫観念がかえって医者の手先の動きに神経を集中させた。

根っこが腐っていると言われたが、Yの奥歯の根はなかなか抜けないようだった。削ったり、叩いたり、引っ張り出そうとしても、終わる気配がなかった。Yの額にさらに険しく皺が寄っていった時、待合室からおばあさんたちの話し声が聞こえてきた。

おばあさん一：ねえ、イエス様が死んだって聞いたんだけど。

おばあさん二：なんで？

おばあさん一：釘が刺さって死んだんだってよ。

Yの耳を塞いでいたものが取れたように、すっとその言葉が飛びこんできた。イエス？　西暦三三年に死んだ、ジーザス・クライスト・スーパースター？　何、彼が死んだのを今になって知ったっていうのか。

おばあさん三：あたしゃそうなると思ってたよ。髪はザンバラで、来る日も来る日も裸足で街をうろついてりゃ、釘が刺さらんほうが不思議なくらいだよ。

ええ？　Yはいつの間にか自分がデンタルチェアに横になってドリルの音を聞きながら、奥歯を抜いているところだということをきれいさっぱり忘れていた。

おばあさん四：だけどイエスって誰なん？

しばらくの間、静かになった。

おばあさん五：えーと、よう知らんけどな、うちの嫁がしょっちゅう、父よ、父よって言うのをみると、嫁の父親じゃないんかね。

Yはもうがまんできないというように、デンタルチェアからガバッと起き上がると、腹を抱えて吹き出してしまった。その拍子にYの振り回した指にかかって、医者がしていたマスクがはらりと外れた。マスクに隠れていたが、見ると医者も笑いをこらえきれなかったのか、口の端が耳元までつり上がっていた。

作家の言葉

ずいぶん前のある晩のこと。近所を散歩している時に何げなく空を見上げたことがあった。明るい夜の空に浮かんだまん丸の月が私を見下ろしていた。時々夜の空は海のように見えることがある。そんな時の月は茫漠とした海にたった一人でどこかへ押し流されていくようにも見える。あの日、月は私のことだけを見下ろしていたわけではなかっただろう。月から見れば私などひとつまみのほこりほどにも見えないはずなのに、不思議にあの時は月が私だけに向かって何か話しかけているような気がしていた。急に何かに出会って、自分一人の胸に収めておくには惜しいと感じた時、「春雨が降ってる」「ユリの花が咲いた！」みたいなショートメールをその時、心に浮かんだ人たちに向かって送ることもある。その日も誰かに「ちょっとあの月、見てよ、見て」と送ろうと思っていたら、その月が私に何か言ったような気がして、送るのをやめてしまった。そうしてしばらく月を見上げていた。私が聞き取れたのは「文章はもっと面白く書けないものかねえ」というお叱りのようなものだった。

その手のお叱りは読者からもよく聞く。私の小説を読み終えると、何日も心が沈みこんで、もとに戻るのに時間がかかると、もっと楽しい話を書くつもりはないのかとずばりと聞かれることもある。そのたびに申し訳ないと思う反面、自分が作品の中にメモでも残すように散りばめておいたユーモアはどうして見つけてもらえないのか、解せなくもあったし悔しくもあった。パラドックスやジョークの投げかける明朗さという価値ある影響力は、私にとってもますます魅惑となって迫ってくる。その明るさなくして、張り詰めた生の緊張に満ちた瞬間瞬間を押しのけて前に進む拠り所はどこにあるのかとも思う。それでも私は自分の方向を全面的にそちらの方に切り替えることはできない。その第一は自分の能力不足にある。第二に人間の生の変化や再発見へと私たちを導くものは、結末をあらかじめ知りながらその虚しさを抱えたまま敢えて進んでいくしかない、私たちの限りある生の営みにあると考えるからだ。

それなのにその夜私はふと、月に向かって私たちの話を聞かせるという形式の、短い文章を書いてみたくなったのだ。今まで書いてきたものとは違ったものになればという思いもわきあがってきた。家に帰ると机に置いてあったノートの片隅に「月に聞かせたい話」と書き留めた。月が聞いたらにっこりと微笑むような話。月が聞いてうなずいてくれるような話、とも。

それからしばらく後、今は廃刊になってしまったある書評誌の編集長のインタビューを受けることになった。インタビューの途中で、どんな形でもいいから原稿用紙〔韓国では普通二〇〇字詰め〕で二〇枚くらいの掌編作品を自由に書いてもらって、それを連載したいという提案を受けた。彼が表現した「手のひらくらいの」「自由に」という言葉にひかれて応じたものが二年越しに続いて、おかげでここに載せられた二六編の話となった。メモしておいた「月に聞かせたい話」はそのまま本の題名になった。考えてみればここに収められた話はどれも何かの瞬間によって書かれてきたものだった。明け方のある瞬間に、旅先でのある瞬間に、日常を営んでいくある瞬間に、本を読んでいる時、あなたや、私たちが会っている時。だから私が立ち止まっていた何かの瞬間にきらりと光ったものが二六回集まってこの作品が生まれたことになる。

私にとって。

あなたという存在はいつか私が読んだつらい本をともに読んだ人。その人を私はあなたと呼ぶ。あなたがもう読んでしまった本は、これから私が読んでいくだろう。月に向かって先に伝えられた、この何でもない話が、できることなら一度だけでもあなたをにっこり微笑ませることができればうれしい。こんな春の日に住む部屋を探し歩いたり、履歴書を書き直している時に、自分が一人ぼっちだと思ったり、思いがけないことがあなたの心をかき乱していった時に、何より自分がどうしてこうなのかと思う自責の念や、せいぜいこの程度かという諦めがあなたの瞬間に押し寄せて来た時に、この二六編の物語が月明かりのように沁みこんで、あなたを光らせることができたらうれしいと思う。

二〇一三年の春に
シン・ギョンスク

訳者あとがき

本作品の著者、シン・ギョンスク（申京淑）は朝鮮半島の南にある地方都市・井邑《チョンウップ》で一九六三年に生まれました。光州《クァンジュ》から北に五〇キロほど離れた、紅葉で有名な内蔵山《ネジャンサン》があるところです。家は牛や山羊や鶏を飼いながら田畑を耕す農家でした。六人兄弟の四番目で長女だった彼女は、十五歳でソウルに上京して工業団地で工員として勤務しながら「産業特別クラス」という、永登浦《ヨンドゥンポ》女子高校の夜間部に通うようになります。幼少期から感受性の豊かな少女時代を経て、小説家として活躍を始めるこの時期については『離れ部屋』（一九九五、邦訳：安宇植訳、集英社、二〇〇五）という長編小説にも描かれています。

高校を卒業したシン・ギョンスクは、ソウル芸術大学文芸創作科に入学しました。大学卒業後、出版社に勤務しながら書いた「冬の寓話」が一九八五年の「文芸中央」新人文学賞に選定され、以降、本格的な作家活動を開始します。その後、数多くの文学賞を受賞するとともに、多くの作品が韓国国内でベストセラーとなりました。特に『母をお願い』（二〇〇八、邦訳：安宇植訳、集英社文庫、二〇一一）は韓国で二〇〇万部を超すミリオンセラーとなり、海外でも日本を含め三十数か国で翻訳出版されました。今やK文学と言われる韓国文学の世界化を導いた旗手の一人だったと言えるでしょう。

そんな彼女が二〇一三年に発表したのがこの『月に聞かせたい話』です。

「深い感情の波立ちによって揺れ動く人物たちの生を描写してきた作家」（KBS〔新刊紹介〕二〇一三年三月二十五日）と言われていた彼女が、それ以前に出された作品の持つある種の重さから解き放たれ、軽やかに書き留めたという印象が際立っています。作家自身が語っていた「小説を読みながら文章のひとつひとつを追っているうちに、自分が作り出した作品の世界に導かれ、そこで慰められ元のところに戻っていけるとしたら、それはいい作品だと思います。私の小説の中の現実が温かく愛情の沁みこんだものになればと願っています」（月刊『客席』インタビュー 二〇一三年六月一日）という思いがひとつの作品として結晶したと言ってもいいかもしれません。

改めてこの作品全体の構成を振り返ってみると、いずれも一息で読めるような短い話が二六編集められています。それぞれの話は「三日月」「半月」「十五夜」「つごもりの月」と名づけられた四部に分けられています。月の満ち欠けが変わらない周期で淡々と繰り返される間、人間の営みも鷹揚《おうよう》に見下ろしている月の下で、喜怒哀楽が日々繰り返されていることを表しているようです。その状況や登場人物の年齢などに違いはあっても、それらの人生のある瞬間がピンナップされたように月のまなざしの行く先に貼りつけられているというのが、この作品のかたちになっています。それは日本人を含めた読者の誰にでもありそうな平凡な日常の出来事であると同時に、その中に現代の韓国社会の一断面を感じ取ることもできるでしょう。たとえばキリスト教の伝道師がいかに熱心な布教活動をしているかとか、平凡な市民がアメリカやドイツに暮らすのがそれほど特別なことでなくなっていると知って、日本の社会とは少し違う隣国の現実を垣間見るという副産物もあるわけです。四部の「彼のために」で語られる亡くなった大統領は、韓国の人ならすぐピンときますが、二〇〇九年に逝去した金大中元大統領のことです。こうした政治的な話題に何の気負いもなくさらりと触れられるところにも日本人との違いが現れていて、面白いと思います。

この作品によって生まれるこうした「共感」と「発見」について、出版当時の『ブックコラム』では次のように書かれていました。

「日常でよくありそうなエピソードを、作家の繊細な筆致で興味深く解きほぐしている。（中略）……本を読みながら、日常で直接、間接的にぶつかる状況を文章によって描写するという作家の能力がうらやましくもあるし、小説が持つ大きな力は読者を共感させるところにあるのではないかとも思う。この作品は短い話の連続であるため、様々な過去の出来事を思い起こさせてくれて、ひょっとして忘れかけていた何かがあったとすれば、その出来事に関係のある誰かに、再び連絡してみるきっかけを作ってくれることもあるかもしれない」（「ブレインメディア」二〇一三年五月三日）

ちなみに筆者自身がこの本に出会ったのは、六、七年前に京都で韓国語教室を開いていた頃で、読み物の教材として良さそうだと思いました。中級レベルの人でも韓国語の持つリズムや、様々な単語のイメージをふくらませてくれるのに格好のテキストに思えました。そして、これほど面白い文章を、小さな教室で数名の人たちだけが味わうのはもったいないと考えたのが翻訳を始めたきっかけでした。そこにももちろん「共感」と「発見」がありました。

新型コロナウィルス感染症の猛威が世界を、日本を覆って、それまでの日常生活を取り戻せる日を心待ちにしながら、鬱屈した毎日を送っている私たちにとって、もう一度日常の何でもない、けれど今にして思えば大切なひとときを思い出すのに本書が力になってくれることと信じています。また、著者シン・ギョンスクの作品世界に多くの人の関心が注がれるきっかけとなれば幸いです。

二〇二〇年十月
村山俊夫

シン・ギョンスク（申京淑）

1963年、全羅北道井邑生まれ。ソウル芸術大学文芸創作科卒。1985年に「文芸中央」の新人賞に「冬の寓話」が当選し、デビュー。1993年、初の短編集『オルガンのあった場所』が25万部のベストセラーとなり、90年代の韓国文学を牽引する人気作家となった。現代文学賞、万海文学賞、東仁文学賞など受賞多数。主な作品に『深い哀しみ』『離れ部屋』（邦訳：安宇植訳、集英社）『列車は7時に発ったよ』など。2008年に発表された『母をお願い』（邦訳：安宇植訳、集英社文庫）は韓国で200万部を超す大ヒットとなり、アメリカで出版された英訳版も初版10万部で、ニューヨークタイムズのベストセラー入りを果たした。このほか津島佑子との往復書簡集『山のある家　井戸のある家』（きむふな訳、集英社）がある。

村山俊夫（むらやま　としお）

1953年、東京生まれ。1987年、語学留学のために行った韓国で民主化運動を目撃。帰国後、通訳案内業に従事。2007年より京都で韓国語講座を運営し、2016年に再び渡韓。現在ソウル在住。著書に『アン・ソンギ―韓国「国民俳優」の肖像』（岩波書店）、『韓国語おもしろ表現　転んだついでに休んでいこう』（白水社）、『インスタントラーメンが海を渡った日』（河出書房新社）、『つくられる嫌韓世論―憎悪を生み出す言論を読み解く』（明石書店）など。訳書に『この身が灰になるまで』（オ・ドヨプ著、彩流社）ほか。

K-BOOK PASS 02

月《つき》に聞《き》かせたい話《はなし》

2021年1月20日　初版第1刷発行

著者　シン・ギョンスク（申京淑）
訳者　村山俊夫
装画・挿絵　Hyunil Bang
編集　藤井久子
ブックデザイン　松岡里美（gocoro）
印刷　大盛印刷株式会社

発行人　永田金司　金承福
発行所　株式会社クオン
〒101-0051
東京都千代田区神田神保町1-7-3 三光堂ビル3階
電話　03-5244-5426
FAX　03-5244-5428
URL　http://www.cuon.jp/

ISBN 978-4-904855-65-2 C0097

K-BOOK PASSは“時差のない本の旅”を提案するシリーズです。
この一冊から小説、詩、エッセイなど、さまざまな
K-BOOKの世界を気軽にお楽しみください。